As Leis do
Futuro

As Leis do Futuro

Os Sinais da Nova Era

Ryuho Okawa

IRH Press do Brasil

Copyright © 2013, 2012 Ryuho Okawa
Título do original em japonês: *Mirai-no-Hō*
Título do original em inglês: *The Laws of Future – Herald a New Earth Era*

Tradução para o português: Luis Reyes Gil
Edição: Wally Constantino
Cotejo com o original em japonês: IRH Press do Brasil
Revisão: Agnaldo Alves, Francisco José M. Couto
Diagramação: José Rodolfo Arantes
Capa: Maurício Geurgas
Imagem de capa: IRH Press Japan

IRH Press do Brasil Editora Limitada
Rua Domingos de Morais, 1154, 1º andar, sala 101
Vila Mariana, São Paulo – SP – Brasil, CEP 04010-100

Nenhuma parte desta publicação poderá ser reproduzida, copiada, armazenada em sistema digital ou transferida por qualquer meio, eletrônico, mecânico, fotocópia, gravação ou quaisquer outros, sem que haja permissão por escrito emitida pela Happy Science – Ciência da Felicidade do Brasil.

1ª edição
ISBN: 978-85-64658-10-3
Impressão: Paym Gráfica e Editora Ltda.

Os textos deste livro são uma compilação de palestras proferidas por Ryuho Okawa nas seguintes datas:

Introdução: O Caminho para a Vitória – 16 de fevereiro de 2003
Capítulo 1: Introdução à Teoria do Sucesso – 2 de março de 2007
Capítulo 2: Nunca Deixe Seu Coração se Partir – 2 de outubro de 2011
Capítulo 3: Viva Positivamente – 27 de abril de 2008
Capítulo 4: O Poder de Criar o Futuro – 8 de julho de 2012
Capítulo 5: A Ressurreição da Esperança – 25 de julho de 2012

Sumário

Prefácio 9

Introdução
O Caminho para a Vitória 11
Desperte para o Poder do Pensamento

1 • Seus Pensamentos São Quem Você É 13
2 • A Força da Convicção Mudará Sua Vida 14
3 • Desperte para Sua Missão 16
4 • Acreditar É o Caminho da Vitória 18
5 • Abra um Futuro Ilimitado 24

Capítulo Um
Introdução à Teoria do Sucesso 27
Modo de Pensar para Concretizar um Ideal

1 • Acredite no Poder do Pensamento 29
2 • Como Lidar com a Inveja 35
3 • O Que Você Aprende com Seus Erros 40
4 • Desenvolva Sua Habilidade de Liderança 43

Capítulo Dois
Nunca Deixe Seu Coração Se Partir 51
O Futuro Irá Mudar quando Você Descobrir a "Força da Sua Mente"

1 • Seu Coração Jamais Se Partirá 53
2 • Como São as Pessoas Que "Sentem o Coração Partido" Facilmente? 58
3 • As Situações Difíceis Fortalecem o Coração 66
4 • No Seu Coração Há uma Força Latente Cem Vezes Maior do Que Você Imagina 74

Capítulo Três
Viva Positivamente 77
Não Tenha Medo de Fracassar e Continue Desafiando a Si Mesmo

1 • Inspire-se nos Pontos Positivos do Japão 79
2 • O Japão Tem como Missão Liderar o Mundo 86
3 • A Disposição de Aceitar Desafios Desbrava o Futuro 91

Capítulo Quatro
O Poder de Criar o Futuro 103
Abra Caminho para uma Nova Era

1 • O Sucesso na Divulgação 105
2 • Como Ser Bem-sucedido 109
3 • A Happy Science Está Criando uma "Nova Era" 116
4 • "Dominar o Inglês" e Ter "Conhecimentos Úteis" 123

Capítulo Cinco
A Ressurreição da Esperança 129
Almeje Mais Progresso no Futuro

1 • Despertando o Potencial Desconhecido 131
2 • Salve o Mundo Fazendo uma "Revolução na Espiritualidade" 134
3 • Definir, Como Nação, uma "Meta de Prosperidade" 140

Posfácio 145
Sobre o Autor 147
Sobre a Happy Science 149
Contatos 151
Outros Livros de Ryuho Okawa 155

Prefácio

Como o título sugere, escrevi este livro com o objetivo fundamental de auxiliar a criar o seu futuro, o futuro do seu país e o futuro do mundo.

Penso que o futuro é como uma bola de borracha; pode ser atirado em qualquer direção e rebatido para qualquer lado. Tudo depende da sua atitude mental e das aspirações que você compartilha ao encarar o futuro. É isso que irá determinar a direção da bola.

Talvez alguns vejam o futuro como algo sombrio e sofrido. Mas eu sempre vou ensinar que o futuro é algo criado por meio da prática da "teoria do sucesso" e da "ressurreição da esperança".

Pretendo me manter firme e agir como um mastro para o mundo, para que possamos criar um mundo onde todos vivam felizes.

Ryuho Okawa
dezembro de 2012

Introdução

O Caminho para a Vitória

Desperte para o Poder do Pensamento

O Caminho para a Vitória

Seus Pensamentos São Quem Você É

Quero apresentar a você o ponto mais importante da sua vida: o poder dos seus pensamentos. Quando pedimos às pessoas que definam quem são, pouquíssimas respondem "Meus pensamentos definem quem eu sou". Só aquelas que têm uma atitude espiritualizada e uma boa compreensão de si mesmas, e que vêm observando em profundidade o que há dentro delas, é que serão capazes de dar essa resposta.

Muito do que considero como "iluminação" é, na verdade, o quanto uma pessoa consegue compreender que ela é a manifestação dos próprios pensamentos.

Neste mundo, as coisas materiais e os objetos parecem reais, nosso corpo físico parece existir, e talvez você não ache que tudo depende dos seus pensamentos. Mas, no outro mundo, aquele que chamamos de Reino Celestial ou Mundo Real, "os pensamentos" na verdade são tudo, e você é composto de pensamentos. Esses pensamentos definem sua natureza e a maneira como conduz sua vida; eles ditam suas ações.

A Força da Convicção Mudará Sua Vida

Mude Sua Vida Radicalmente com uma Forte Convicção e com o Poder do Pensamento

As almas que habitam este mundo como seres humanos parecem levar vidas imperfeitas. No entanto, quanto mais profundamente você compreender seu eu interior, sua verdadeira essência, mais mudanças irão ocorrer em você, no seu corpo, no seu ambiente e até mesmo nas pessoas com as quais se relaciona. Em outras palavras, essas mudanças dependem do quanto você for capaz de assimilar que "Eu sou os meus próprios pensamentos. Eu sou aquilo que penso. Eu sou o poder do pensamento. Eu sou uma energia que pensa". Quanto mais espiritualizado você se tornar, maiores mudanças verá no mundo ao seu redor.

Por meio de uma forte convicção e aplicando o poder do pensamento, o curso da sua vida irá mudar radicalmente e seguirá um novo caminho.

Vários experimentos realizados com a força da convicção mostram que, sob o efeito de hipnose profunda, algumas pessoas são capazes de entortar barras de metal, como se fossem barras de chocolate. Há indivíduos que conseguem até puxar um carro amarrado aos seus fios de cabelo. Não se prenda a uma autoimagem limitada e pessimista.

O Caminho para a Vitória

Embora os seres humanos, por natureza, tenham uma força extraordinária, eles se apegam a limitações materiais, o que os impede de utilizar sua força verdadeira. Talvez você esteja se colocando sob uma auto-hipnose que acaba bloqueando seu potencial, dizendo a si mesmo "Minha capacidade é limitada. Não consigo fazer isso de modo algum". Com isso, você vive sem conseguir liberar seu verdadeiro poder.

Uma das razões é que, na infância, seus pais ou irmãos podem ter dito coisas negativas ou pessimistas a seu respeito, ou talvez tenham feito comentários depreciativos ou desmerecedores, que o desencorajaram e o desestimularam. Essas frases negativas foram gradualmente se acumulando na sua mente.

Outro motivo pode estar em sua vida escolar. Pode ser que você não tenha sido devidamente valorizado e elogiado por seus professores e colegas de classe, passando a sentir-se frustrado e insatisfeito. O acúmulo desse tipo de experiências deixa as pessoas com uma autoimagem limitada e pessimista.

No entanto, se você despertar para "seu verdadeiro eu", um poder e uma força muito maiores irão brotar do seu interior.

As Leis do Futuro

Desperte para Sua Missão

Obtenha Poder para Mudar as Pessoas e Seu Ambiente

O que tenho revelado até agora também se aplica a mim mesmo. Não consegui manifestar minha verdadeira força enquanto estive envolvido com as questões da minha vida terrena. A bem da verdade, enquanto eu deixava que a perspectiva materialista, os sentimentos e opiniões dos outros me controlassem, sentia-me dominado pelos seus olhares e palavras, completamente sem forças. Eu era como um ser humano normal que não consegue expressar suficientemente sua força.

No entanto, quando entrei em contato com a Verdade do Mundo Espiritual e despertei para minha missão de "transmitir esses ensinamentos sobre a Verdade, de proporcionar salvação e ajudar as pessoas a viverem de uma maneira que lhes permitisse manifestar todo o seu poder", eu me tornei muito mais forte. Ao mesmo tempo, adquiri o poder de até mesmo mudar as pessoas e o ambiente ao meu redor.

Esse poder exerce uma força magnética como se fosse um ímã. O fluxo da eletricidade cria um campo de força magnético que passa a transformar outros objetos metálicos também em ímãs. Esse poder magnético é exatamente o mesmo poder gerado quando são transmitidos os ensinamentos da Verdade.

O Caminho para a Vitória

Mude Seus Pensamentos para que Sejam Fortes, Corretos, Luminosos, Construtivos e Positivos

Depois que você aprender sobre a existência do Mundo Real, que a "sua verdadeira natureza são seus pensamentos, e que, no mundo espiritual, os seus pensamentos se tornam a sua existência e suas ações", descobrirá um novo poder em seu interior. Mesmo vivendo neste mundo material, se você mudar seus pensamentos para que sejam fortes, corretos, luminosos, construtivos e positivos, irá obter coragem para superar muitas dificuldades e desafios.

Pegue o exemplo da água. Ela normalmente flui tranquila por um rio ou preenche um lago até a borda. Mas essa mesma água pode revelar um poder magnífico. Uma grande correnteza de água pode varrer tudo o que encontra pela frente. Do mesmo modo, a água pode se infiltrar nas profundezas do subsolo arenoso para reaparecer em algum lugar como uma fonte. Se a água alcançar o mar e tornar-se parte de um grande oceano, irá evaporar, subir e transformar-se em nuvens. Depois, cairá como chuva, e voltará aos rios e criará os lagos.

Como podemos ver, os movimentos da água são livres e irrestritos. Do mesmo modo, a energia da sua alma contém um poder livre e irrestrito.

Acreditar É o Caminho da Vitória

Elimine os Fatores Negativos Que Bloqueiam o "Poder do Pensamento"

É preciso compreender que o "poder do pensamento" aumenta de maneira proporcional ao poder da fé. Isto é, quanto mais intensamente você acreditar, maior será o poder gerado com a concentração dos pensamentos. E quanto mais concentrar o "poder do pensamento", mais forte ele se tornará. Isso é uma verdade, porque você se tornará uno com a "grande energia" que existe na fonte de todas as coisas.

Quanto mais intensamente você acreditar, mais essa grandiosa força irá jorrar, varrendo para longe as dificuldades e adversidades deste mundo. E sua vida irá passar por uma série de transformações. Todos os obstáculos à sua frente serão removidos, um após o outro.

Então, o que é que está inibindo sua força? Medo. Covardia. Dúvida. Hesitação. É a mente, que se preocupa com coisas que talvez nem venham a acontecer. É a mente, que se mostra incapaz de superar os erros ou frustrações do passado.

Não se permita ficar ligado a esses sentimentos negativos por muito tempo.

O Caminho para a Vitória

Torne-se Ilimitado com o "Poder da Fé"

Seu ambiente, sua personalidade e seu futuro irão mudar quando você mudar sua mente. O poder fundamental por trás de tudo isso é o poder da fé.

Ter fé é como conectar suas tubulações ao reservatório principal de água; então, ao abrir a torneira, você permitirá que a água flua do reservatório principal até a sua casa. É o que significa a fé. Mesmo que haja água no reservatório principal, enquanto você não "abrir a torneira" com a sua fé, a água não irá fluir.

Similarmente, ao "acreditar", "afirmar" e "aceitar", um poder ilimitado lhe será concedido. Talvez esse poder que a "fé" representa nunca possa ser ensinado nas escolas. Isso é algo que somente se pode aprender por meio da religião ou da educação religiosa.

Assim como o seu verdadeiro Pai
É ilimitado e invencível no céu,
Seja você também
Ilimitado e invencível aqui na Terra.

É isso o que significa "alcançar a vitória por meio da fé".

Doenças Podem Ser Curadas pela Visualização de Imagens Positivas em Sua Mente

Você já deve ter tido várias oportunidades de testemunhar o poder da fé. Por exemplo, há pessoas que conseguem se curar de doenças por meio da fé. Se você guarda na mente, por um longo período, sentimentos negativos como medo, complexo de inferioridade, sofrimento, ressentimento, conflito ou amargura em relação a outras pessoas, essas emoções podem acabar se manifestando sob a forma de um câncer.

Se houver uma causa, surgirá o efeito. Seu corpo tem um criador, e esse criador nada mais é do que "sua própria alma, sua mente". É a sua mente que cria o seu corpo. Se o criador está tentando destruir sua própria casa, então essa casa nunca poderá ser maravilhosa. Ao contrário, "se o criador deseja que essa casa seja magnífica, produtiva, brilhante e positiva para a alma e para a mente", então o corpo irá se transformar dia a dia para que isso seja atendido.

Só se pode construir uma casa a partir de uma planta. A estrutura do corpo das pessoas muda conforme sua visão da vida e sua autoimagem. "O corpo se transforma de acordo com o alimento que se ingere cada dia." Aquilo que você come serve de suprimento que irá ser usado em resposta à maneira como você deseja remodelar seu corpo.

Portanto, "de que forma devemos usar esses suprimentos"? Se você sustenta uma imagem forte, luminosa e positiva na sua mente, seu corpo irá mudar para refletir isso. Seu corpo se tornará forte e não adoecerá mais. Mesmo quando todos estiverem ficando resfriados, você não será contaminado. Enquanto os outros estiverem se sentindo exaustos, você estará se sentindo bem.

Todas as pessoas são capazes de criar o câncer por meio das preocupações que mantêm na mente (o câncer também pode ser resultado de uma sobrecarga de trabalho ou de um senso de responsabilidade excessivo). Mas se você é capaz de criar alguma coisa, então também é capaz de fazê-la desaparecer. Ou seja, é possível "curar a si mesmo".

O Caminho para a Vitória

Continuando com o exemplo da casa, você pode transformar os pensamentos de destruição da sua casa em outros que criem algo novo e maravilhoso. E estes passarão a ser transmitidos a seus nervos e seu sangue. As células vermelhas e brancas do sangue, assim como os linfócitos, serão preenchidas com a poderosa força espiritual da vida, e passarão a atuar diariamente para cumprir bem os seus papéis. "É o tipo de pensamento que você transmite" que determina o comportamento dessas células.

Elas irão combater vírus e outros elementos prejudiciais dentro do seu organismo, jogando-os para fora do seu corpo. Células cancerosas e outros tecidos danosos serão substituídos rapidamente com a força de seus "pensamentos". Eles serão todos eliminados e expurgados.

Use o poder da fé
Para criar pensamentos iluminados e poderosos.
Você vai se tornar mais saudável.
Você ficará em perfeitas condições.
Você nunca mais adoecerá.
O seu poder é ilimitado
E um novo poder vai fluir continuamente
De dentro de você.

Torne-se Uno com a Grandiosa Luz do Mundo Celestial

A força adquirida pelos alimentos é finita, mas o poder que pode ser obtido por meio da fé é infinito. A única razão pela qual você não é capaz de usar esse poder é porque precisa testemunhar o Mundo Espiritual com os próprios olhos.

As Leis do Futuro

O mundo espiritual está dividido em dois reinos: "Mundo Celestial" e "Mundo Infernal". Provavelmente sentimos com mais intensidade a influência do Mundo Infernal do que a do Mundo Celestial, pois o Inferno tem mais proximidade com este mundo em que vivemos. O Inferno é um mundo distorcido, estabelecido com base no medo, nas dores, na tristeza e nas desventuras e tragédias das pessoas.

No entanto, se você conseguisse ver o Mundo Real e entrar nele, aquele que fica além deste mundo distorcido, perceberia que se trata de um lugar absolutamente maravilhoso, preenchido por uma luz dourada, que se estende à sua frente.

É "um mundo de luz", vasto, ilimitado. Com o tempo, você compreenderá que "o reino do Inferno não passa de um local úmido e cheio de musgo viscoso que cresce das pequenas fendas entre as pedras".

Torne-se uno com a grandiosa luz celestial.
Você deve concentrar-se com força, sem vacilar, para se tornar uno com essa luz.
Ao fazer isso, seu futuro irá mudar.

Transforme Todas as Suas Experiências em Alimento para a Alma

Talvez você tenha experimentado
Vários fracassos no passado.
Talvez se lamente por isso de vez em quando.
Talvez tenha sofrido reveses
Como ser humano.
Talvez você tenha incontáveis preocupações.

O Caminho para a Vitória

Neste mundo, pode parecer que
Você foi derrotado
Em pequenas batalhas.
No entanto, no Mundo Real,
O Pai da sua alma
Nunca lhe dará uma derrota.
Você sempre será vitorioso.
Você sempre encontrará um significado positivo
Em todas as suas experiências.
Você estará transformando todas as suas experiências
Em alimento para a alma.
Você estará convertendo todas as suas experiências
Em sabedoria.
Você deve usar essa sabedoria em suas atividades
Como se fosse uma nova arma
Em benefício do futuro e da sociedade.

As Leis do Futuro

Abra um Futuro Ilimitado

Que Tipo de "Futuro" Você Visualiza?

Por favor, tenha pensamentos fortes. A força do seu pensamento positivo é capaz de abrir caminho através das barreiras criadas pela má vontade dos outros e superar os obstáculos que encontrar no futuro. Você verá que o destino do seu futuro irá começar a se alterar completamente e mudará de rumo.

De certa forma, podemos dizer que o destino existe. Mas também é verdade que, se você elevar seu grau de iluminação um pouco mais, será capaz de construir ativamente seu destino. E se você efetivamente dominar o "poder do pensamento", vai começar a construir seu destino.

Que tipo de futuro você visualiza como seu destino?
Que tipo de futuro você espera alcançar
No seu ambiente de trabalho?
Que tipo de futuro você espera para sua família?
Mesmo que esteja enfrentando grandes dificuldades
Na vida, sob o ponto de vista deste mundo,
Primeiro, procure aceitá-las de imediato,
Depois divida-as em partes menores,
Passando a dominá-las e superá-las completamente.
Nada pode destruir sua crença.
Nada pode derrotar seu pensamento iluminador.

O Caminho para a Vitória

Nada poderá atrapalhar seus pensamentos positivos
Que desbravarão o futuro.
Se você deseja abrir um futuro ilimitado,
Viva com pensamentos brilhantes.
Tenha sempre um sorriso no rosto e siga adiante.
Você deve perdoar seu passado
E olhar com esperança para o futuro.
Você deve colocar sua esperança
No "eu verdadeiro" das pessoas.
Ore intensamente para que este mundo
Se transforme num paraíso, o reino búdico.
Ore para que a natureza búdica
Esteja viva no coração das pessoas.
Creia que no coração das pessoas
Existe a natureza divina.
E, então, deseje intensamente em seu coração
Que elas se tornem suas companheiras
Na divulgação das verdades espirituais.
Faça isso por cinco anos, dez anos,
E continue assim pelo futuro afora.

Lute Contra as Adversidades e Se Torne um *Bodhisattva* (anjo)

Você vai encontrar muitos desafios, mas tente compreender que essas provações não surgem para prejudicá-lo. Elas ocorrem para o seu aprimoramento espiritual. São testes que surgem no seu caminho para torná-lo mais forte, para elevá-lo a um estágio superior.

Vários dramas e situações difíceis são encenados em sua vida para transformá-lo num ser de luz vivo, um *bodhi-*

sattva ou um *tathagata*. Você precisa lutar contra muitas adversidades e problemas neste mundo.

Até mesmo o grandioso Hermes precisou lutar com vários adversários[1]. E isso é ainda mais importante para aqueles que estão vivendo atualmente sem enfrentar adversidades.

Lute incansavelmente pelo futuro.
Você precisa desejar:
"Eu vou abrir um novo futuro,
Não apenas para o meu benefício,
Mas para o bem de Deus,
Para o bem de Buda,
Para o bem dos meus companheiros
Dotados da natureza divina.
Para o bem do futuro da humanidade
e para o benefício do mundo".
O caminho da vitória está aberto diante de você.
Caminhe diretamente por esta grandiosa estrada.
Caminhe com todas as suas forças diretamente por essa estrada de luz, onde quer que esteja, aonde quer que vá.
Assim, certamente você se tornará vitorioso na vida.

---

1. Hermes nasceu há cerca de 4.300 anos em Creta, na Grécia, e lançou os alicerces da civilização mediterrânea. Na mitologia grega, é conhecido como o deus do comércio e da riqueza. Ele é uma das consciências que faz parte do espírito de El Cantare, o supremo Deus da Terra.

Capítulo Um

Introdução à Teoria do Sucesso

Modo de Pensar para Concretizar um Ideal

Introdução à Teoria do Sucesso

Acredite no Poder do Pensamento

O Sucesso Não É o Resultado, mas a Percepção de Autoaprimoramento

O assunto deste capítulo é a "Teoria do Sucesso". Eu mesmo ainda estou trilhando a estrada do sucesso, por isso estou consciente de que ainda não poderei cobrir completamente este assunto. Mas posso afirmar que já superei a minha juventude e a meia-idade, concluindo esses dois grandes estágios.

Levando isso em conta, chamei este capítulo de "Introdução à Teoria do Sucesso". Gostaria de oferecer alguma orientação àqueles que estão dispostos a escalar essa montanha chamada sucesso.

Todo mundo deseja obter sucesso quando é jovem, mas nessa fase tendemos a pensar que o sucesso é obter algum tipo de resultado. Eu também achava isso.

No entanto, depois de passar por várias experiências, percebi que "o sucesso não consiste apenas na obtenção de resultados". Descobri que "o sucesso é a felicidade que sentimos pelas realizações na vida, acompanhada da percepção de nosso autoaprimoramento". Não há padrões objetivos para medir o sucesso e é difícil defini-lo claramente. Mas todo indivíduo tem a possibilidade de abrigar um sentimento de realização, de ter sido bem-sucedido e de poder dizer "Eu me esforcei muito", "Fiz tudo direitinho" ou "Sou merecedor de elogios".

É Necessária uma Década para Perceber o Poder do Pensamento

O primeiro ponto que quero destacar é "o poder do pensamento" ou "o poder contido na maneira de pensar". Quando lemos livros sobre a obtenção do sucesso e a realização dos nossos desejos, eles geralmente enfatizam "a importância dos nossos pensamentos e da nossa maneira de pensar". Talvez você não consiga compreender muito bem o significado disso. A razão é que, de certa maneira, o poder do pensamento não pode ser completamente compreendido enquanto você não o praticar por vários anos.

Quando jovem, também fui influenciado pela ideia de que o futuro pode mudar de acordo com os pensamentos. Só que, por ser jovem, eu não sabia qual seria o resultado de colocar essa ideia em prática. Agora, finalmente posso olhar para trás e dizer "que tipo de pensamento é necessário para produzir determinado resultado".

Tenho ensinado que as pessoas são o que elas pensam, e que os pensamentos das pessoas definem quem elas são. Ensino também que "a qualidade de uma pessoa é igual à qualidade dos seus pensamentos" e que "a vida irá se desenvolver de acordo com os pensamentos da pessoa".

Aqueles que estão na faixa dos vinte anos talvez não concordem comigo. Ao contrário, podem achar que "é muito difícil fazer os pensamentos se concretizarem". Na minha juventude, eu também pensava assim, mas depois de vinte

Introdução à Teoria do Sucesso

ou trinta anos, estou firmemente convencido de que os pensamentos de fato se manifestam.

Hoje estou com mais de cinquenta anos, mas quando tinha vinte e poucos anos já tinha uma imagem clara de quem eu era e de quem eu queria me tornar, por isso visualizava meu eu ideal. Agora que se passaram quase trinta anos, vejo que me tornei exatamente o tipo de pessoa que eu havia idealizado.

Quando jovem, não conseguia visualizar meu "eu" de modo objetivo, nem mesmo depois de ouvir as opiniões das pessoas e tentar usá-las como uma fonte objetiva de informação. Porém, o mais incrível é que me tornei o que desejava ser vinte anos atrás.

Há um ditado que diz que todos sabem que o pensamento possui poder, e isso é verdade. Se você continuar a sustentar uma imagem do seu futuro ou ideal por algumas décadas, vai se tornar esse tipo de pessoa. Por exemplo, se afirmar: "Sou um tipo de pessoa assim e assado, e é nisso que vou me transformar", então, antes que você se dê conta, terá se tornado esse tipo de pessoa. Agora posso afirmar isso com certeza. É realmente misterioso, mas se você não praticar por algumas décadas, não poderá comprovar isso.

Você Consegue Visualizar Repetidamente em Seu Coração Sua Imagem Ideal?

Muitos jovens sofrem pela distância que sentem entre o seu eu atual e o seu eu ideal. Quanto mais idealista for, mais distante será a realidade do seu ideal. Por alimentarem ideais muito elevados, na maioria das vezes seus pensamentos não se manifestam e suas metas ficam fora de alcance.

As Leis do Futuro

Se a meta for idealizada com base no que os outros disseram que é "bom", há menos chances de ser alcançada. Quando somos jovens, alguns dos nossos objetivos são estabelecidos com base na opinião dos outros, e não correspondem aos nossos verdadeiros desejos. Como são ideais dos outros, não é de estranhar que não se concretizem.

No entanto, há pensamentos que surgem espontânea e repetidamente do fundo do nosso coração ou nos quais nos vemos pensando com frequência. Se alimentarmos esses pensamentos repetidas vezes em nosso coração, com o tempo eles se concretizarão. É dessa maneira que ocorre a autorrealização.

Você precisa acreditar nesse fato. Se não acreditar de verdade, não conseguirá concretizar suas metas ou ideais. Primeiro, é muito importante visualizar dentro de sua mente seu eu ideal, gravá-lo e revê-lo muitas e muitas vezes.

Se você consegue visualizar isso no fundo do seu coração repetidamente, significa que tem aptidão – uma disposição ou habilidade que a natureza dá a determinada pessoa para alcançar certas metas num campo específico. Se você não tiver essa aptidão, não será capaz de visualizar repetidamente na mente uma imagem ideal de si mesmo. As pessoas que não têm força para conceber imagem nenhuma, em geral não obtêm muito sucesso em nenhum tipo de trabalho.

Essa autoimagem ideal que você consegue visualizar repetidas vezes na mente é, na verdade, o direcionamento da sua vida, a sua meta. Você deve prosseguir na jornada de sua vida em direção a esse objetivo. Mesmo que não consiga visualizar muito bem em sua mente a autoimagem ideal, é bem possível que ela vá se modificando com o tempo.

Introdução à Teoria do Sucesso

A Imagem Que Você Faz de Si Mesmo quando Jovem não Costuma Corresponder à Realidade

Tenho insistido "na importância de visualizar repetidas vezes uma imagem do seu eu ideal", mas um grande número de jovens sofre de baixa autoestima e acaba tendo uma autoimagem de fracasso ou inferioridade, por causa de um sentimento subjetivo. Isso é o oposto exato de uma autoimagem ideal. Eu calculo que mais de 90% dos jovens se encaixem nisso. Talvez eles não admitam, mas mais de 90% deles alimentam uma série de preocupações, têm uma autoimagem pouco favorável e vivem com uma sensação de fracasso, inferioridade ou infelicidade.

A imagem que você tem de si mesmo quando jovem em geral não corresponde à realidade. Se você notar que há uma diferença entre a imagem subjetiva que faz de si mesmo, carregada de sofrimento e sentimento de inferioridade, e a imagem que a maioria das pessoas têm de você, é mais provável que elas estejam certas. É surpreendente, mas a imagem que amigos, pais, irmãos, colegas de trabalho e outras pessoas têm de você costuma ser bastante objetiva e precisa.

Já a imagem subjetiva que você faz de si mesmo como alguém que sofre, se preocupa e se sente inferior na maioria das vezes é equivocada, porque em razão da sua juventude, da hipersensibilidade dos seus sentidos, você sente de maneira excessivamente intensa todos esses problemas.

Além disso, em geral os jovens costumam ser muito autocentrados, pensam em si mesmos em termos egocêntricos e não conseguem ver, mesmo de modo aproximado, onde se situam em relação ao todo. Por isso, tendem a enxergar as pequenas mágoas ou dores como algo intransponível.

Quando um jovem adoece, por exemplo, imagina que "sua vida inteira será difícil". Não passa pela cabeça dele que "os hospitais estão lotados de pessoas doentes, que também sofrem, mas que são tratadas e conseguem se restabelecer".

Outro exemplo são os vários tipos de provas, como os vestibulares. Às vezes "concorrem dez mil pessoas, mas apenas algumas centenas são aprovadas". Suponhamos que você prestou o exame e não passou. Nesse caso, haverá mais de nove mil e tantas pessoas que também não passaram. Se você encarar isso objetivamente, verá que o número de pessoas reprovadas é muito superior. No entanto, apesar dessas evidências, talvez você se sinta como o único que "não passou". Ficará abalado, "como se tivesse sofrido uma grande derrota, da qual acha que nunca mais vai se recuperar".

Isso é típico na adolescência; o jovem nem sempre consegue ver as coisas de modo objetivo, porque se prende a uma visão de si totalmente subjetiva. Como resultado, torna-se supersensível a incidentes infelizes e acaba tendo grandes abalos e impactos emocionais.

Também é provável que alguns tenham uma baixa autoestima ou uma autoimagem marcada por um sentimento de inferioridade. Na realidade, nem sempre as coisas estão tão ruins quanto imaginam, e em muitos casos podem estar em situação muito melhor do que costumam imaginar. Nesse caso, para conhecer o seu verdadeiro eu é preciso considerar a opinião das pessoas que convivem com você e criar uma autoimagem objetiva a partir do que elas pensam. Se notar que há muita diferença entre essa imagem e a imagem subjetiva que faz de si mesmo, "é importante reconhecer que você está com uma autoimagem bastante distorcida".

Introdução à Teoria do Sucesso

Como Lidar com a Inveja

No Caminho do Sucesso É Inevitável Encontrar Rivais e Inimigos

As pessoas que almejam obter sucesso acabam se destacando, e aos poucos vão dando mostras de sua qualidade. Isso, naturalmente, desperta ciúme e inveja nos outros, e é inevitável que surjam rivais e inimigos.

Por analogia, pode-se concluir que quando "as pessoas dizem que nunca encontraram um rival ou inimigo em toda a vida, é por que talvez não tenham sido verdadeiramente bem-sucedidas". Se a pessoa for de fato bem-sucedida e disser que nunca encontrou um rival ou inimigo, talvez não tenha observado bem ou, então, tenha esquecido rapidamente por não se prender a esse tipo de acontecimento. Ou talvez não esteja falando a verdade.

À medida que nos tornamos bem-sucedidos, alguém com certeza terá ciúme de nós. Nesse sentido, para que possamos avançar, o esforço para superar a inveja alheia também faz parte do processo de ser bem-sucedido.

Ninguém gosta de ser alvo do ciúme ou da inveja dos outros. Se você, por exemplo, já tem uma autoimagem pouco favorável, é ansioso ou tem sentimentos de inferioridade, e ainda por cima as pessoas sentem inveja, ciúme, fazem comentários maldosos, insultam ou desmerecem você, então seus sentimentos de infelicidade ficarão ainda mais intensos. Você acabará pensando: "Que vida difícil a minha, porque, além de não me sair muito bem, as pessoas estão falando mal de mim". Dessa forma, fica muito difícil ter uma imagem justa e objetiva de si mesmo.

Os Rivais São como um Espelho Que Reflete Nossa Imagem

Quando há rivais e inimigos, surgem muitas situações difíceis para enfrentar. É comum aparecerem rivais e inimigos durante a adolescência, à medida que os diferentes talentos começam a florescer. Um atleta corredor sempre terá rivais na raia ao lado; o mesmo vale para aqueles que são bons pianistas, desenhistas, nadadores ou estudantes. Seja qual for o campo, quando algum talento emerge, costumam aparecer concorrentes e adversários. Saber controlar nossas reações nessas situações é extremamente importante.

Mas, ao examinar algumas experiências que tive no passado, percebo que aqueles que foram meus concorrentes ou adversários na escola ou no trabalho tinham uma visão muito precisa a meu respeito. Acho isso espantoso.

O que quero dizer é que ninguém consegue avaliar seu talento de forma mais exata do que aqueles que aparecem como adversários. As nossas avaliações e aquelas dadas pelos nossos amigos são muito superficiais e suaves. As pessoas que se colocam declaradamente como seus adversários conhecem você bem melhor. Elas não só percebem muito bem seus talentos e capacidades atuais, como também intuem "o que você pode se tornar no futuro".

Portanto, quanto mais elas acharem que você irá se tornar alguém importante no futuro, ou que irá alcançar

Introdução à Teoria do Sucesso

altos postos, mais determinadas estarão a enfrentá-lo. Nessas situações manifestam-se dons de prever o futuro. Como é retratado num filme sobre a vida de Mozart, este compositor austríaco tinha um rival chamado Salieri. Era uma espécie de inimigo de Mozart, mas foi um dos únicos que realmente souberam avaliar seu grande talento. Sentindo "o grande amor que Deus tinha por Mozart", Salieri não conseguia deixar de ter inveja dele. Isso mostra que nossos rivais ou adversários nos conhecem muito bem.

Assim, quando aparecerem pessoas que se mostram como adversárias, por favor, observe-as de perto. Avalie objetivamente suas habilidades, sua personalidade e suas perspectivas futuras. Além disso, se uma pessoa que parece extraordinária em vários aspectos, ou seja, alguém que você considera "talentoso ou popular", encara você como rival ou sente inveja de você, existe uma alta probabilidade de que você tenha mais talento e capacidade do que imagina.

Você pode ter uma compreensão mais clara de si mesmo examinando "que tipo de pessoa está surgindo como sua inimiga". Os rivais são como um espelho fiel, um reflexo exato de você. Ou seja, ao surgir um rival, significa que você está num nível que faz com que alguém fique muito invejoso e tenha vontade de competir com você.

Quando a distância entre você e o seu rival aumenta muito, esteja você bem atrás ou bem à frente, a rivalidade começa a não ter mais sentido. Portanto, ao olhar para o seu rival, você está na verdade olhando para si mesmo num espelho. Inversamente, as pessoas que você vê como rivais também lhe causam algum tipo de reação. Portanto, aqueles que você sente como rivais constituem uma possibilidade de saber que tipo de pessoa você é na realidade.

Certamente, não devemos levar a sério demais os ataques de nossos adversários. Como disse anteriormente, os adversários costumam fazer uma avaliação bastante precisa da sua pessoa, observando atentamente seus pontos fortes e fracos. Dessa forma, os ataques dos adversários podem nos dar uma chance para nos conhecermos melhor.

No entanto, aqueles que surgem como seus rivais nunca vão ficar contentes com o seu sucesso. "Eles desejam evitar que você seja bem-sucedido", por isso não se deixe influenciar pelas circunstâncias particulares criadas pelo seu adversário. Apenas continue seguindo seu próprio caminho.

Nessas situações, "não pense que ter sucesso na vida seja vencer seus rivais e inimigos". O importante é que "você se concentre em realizar seus próprios ideais" e "seguir seu próprio caminho".

Além disso, se alguém aparecer como seu rival, procure avaliar a competência dessa pessoa, seus pontos fortes e fracos, de maneira justa, buscando ser absolutamente imparcial. "Tente aprender o que for possível, observando as qualidades e os talentos dos seus rivais." É esse o tipo de atitude que você deve cultivar para seu crescimento.

Aqueles Que Criticam Mostram Dependência

Quando um indivíduo se torna bem-sucedido como político, executivo, celebridade ou alguém de prestígio, começará a ser criticado pelas revistas semanais, por programas de tevê, jornais e outros órgãos da mídia. Quando você se torna alvo de críticas, é sinal de que está sendo bem-sucedido.

Nessa fase, reconheça que, "ao receber centenas de críticas, algumas delas terão fundamento. Aceite as que fazem

Introdução à Teoria do Sucesso

sentido e saiba aproveitá-las para aprimorar-se". E quanto às críticas fora de propósito, o melhor é ignorá-las. E se elas passarem do nível da crítica saudável e se tornarem meramente ofensivas, adote a prática de contra-argumentar.

Críticas desse tipo, porém, geralmente mostram certo grau de dependência. Ou seja, as pessoas o estão criticando porque de certa forma são dependentes de você.

Vamos pegar o exemplo do primeiro-ministro de um país; ele é sempre alvo de comentários negativos todos os dias. Seus críticos sentem que, "por ele ser a autoridade máxima do país, precisa ser criticado". Essa atitude mostra um tipo de dependência. Eles "não se importam com o fato de suas críticas não serem 100% verdadeiras". Imaginam que "pelo fato de o primeiro-ministro ser a autoridade máxima, é inevitável que seja alvo de ataques, por causa da inveja do público. Tampouco estão preocupados se as críticas são justas ou não". Algumas das críticas terão razão de ser, mas mesmo estas mostram também algum grau de dependência.

Os críticos esperam que a pessoa criticada não se mostre muito abalada com seus ataques, e sentem-se desapontados quando o seu alvo não resiste às críticas. Espera-se que as pessoas criticadas sejam capazes de resistir às críticas. Em contrapartida, quando conseguem acertar o alvo, passam a desejar derrubar essa pessoa. É assim que as coisas funcionam nos órgãos da mídia, podendo também ocorrer em nosso ambiente de trabalho. Em geral, os rivais das empresas concorrentes pensam desse modo.

É assim que se sentem as pessoas que não estão sendo bem-sucedidas em relação àquelas que estão no caminho do sucesso. Talvez seja importante saber captar o que as pessoas em geral sentem a nosso respeito.

3

O Que Você Aprende com Seus Erros

"A Maneira de Lidar com as Falhas" Abre Caminho para o Sucesso

Não há dúvida de que ter um grande ideal, gravá-lo na mente e pensar repetidamente nele irá fazer você crescer e progredir nessa direção. Mas no caminho para esse ideal você irá enfrentar ofensas, críticas, ataques e também rivais ou adversários. Porém, terá de superar esses obstáculos, ou não será capaz de se colocar na trilha do sucesso.

O fato de "nunca receber críticas e de ninguém falar mal de você" pode significar que você "está obtendo pouco sucesso". Quando almejamos um grande sucesso, inevitavelmente atraímos a atenção das pessoas e com isso acabamos recebendo muitas críticas. Por isso incluí este ponto na Teoria do Sucesso. Pode haver algumas pessoas na trilha para o sucesso "que se vangloriem de nunca terem sido criticadas" ou de "nunca terem fracassado", mas na verdade isso ocorre por que essas pessoas estão buscando um sucesso modesto.

Se você continuar na busca de altas metas a fim de realizar grandes ideais, irá inevitavelmente cometer muitos erros. Não há ninguém que tenha conseguido grande sucesso e não tenha cometido erros. Por exemplo, "quem inicia uma empresa com dez empregados e segue trabalhando sem cometer erros, obtém um tipo de sucesso". No entanto, "se

Introdução à Teoria do Sucesso

esta empresa crescer passará a ter centenas de funcionários", e será natural que surjam vários "problemas".

Do mesmo modo, quanto mais altos os seus ideais, mais problemas você terá de enfrentar, o que inevitavelmente o fará cometer erros. Já destaquei antes que "aqueles que procuram o sucesso deparam com rivais e adversários", mas o caminho para o sucesso depende também da "maneira como você lida com eventuais fracassos".

É certo que você irá cometer falhas. O ponto crítico é a maneira como você consegue superá-las. Como você se recupera das adversidades, dificuldades e contratempos? Que lições você aprende e como consegue aproveitá-las para obter maior sucesso? É isso o que importa.

Para tanto, você precisa ter sempre em mente que "as sementes do sucesso podem ser encontradas nas próprias adversidades e dificuldades". Se neste exato momento você está enfrentando problemas, isso significa que "é alguém que vale a pena confrontar e que precisa se erguer e lutar contra as adversidades". E ninguém nunca recebe uma "cruz" mais pesada do que possa carregar.

Enquanto enfrenta problemas, é extremamente importante que você conheça bem seu lado imaturo, compreenda aquilo que não domina bem, tome consciência de coisas das quais não tinha conhecimento, faça descobertas e transforme tudo isso em sementes para seu próximo sucesso.

"Descubra as Sementes do Sucesso" a Partir de Suas Falhas

O que você aprende com seus fracassos? "Aquilo que você aprende a partir dos seus fracassos" é o aspecto mais importante da Teoria do Sucesso. Se o que você consegue extrair dos seus fracassos forem somente sentimentos de humilhação, complexo de inferioridade, ressentimento e reclamação contra o mundo, então dificilmente você conseguirá entrar no grupo das pessoas bem-sucedidas.

Fracassar significa que você teve a coragem de assumir desafios. Se você não enfrentar desafios, não há como fracassar. Se o fracasso for o resultado obtido com um desafio, então o mais importante é o que você aprendeu com isso. O próprio fato de ter falhado irá oferecer-lhe material para avaliar e descobrir por que falhou e não foi bem. Pode ser, por exemplo, que não tenha tido capacidade ou talento suficiente. Talvez as condições ambientais tenham sido ruins. E podem ter ocorrido outras circunstâncias.

Diante disso, certamente a realidade está lhe ensinando alguma lição. É muito importante que você aprenda tudo o que for possível com essa experiência. Se fizer isso, quando surgir uma situação similar você terá muito mais facilidade para superá-la. E quando for capaz de superá-la com facilidade, um novo desafio irá se apresentar. E você terá de superá-lo também.

O aspecto mais importante a aprender sobre o Sucesso, como ensinei antes, é "enxergar as sementes de sucesso e agarrá-las". Tenha o cuidado de preservar sempre esse espírito. Não é possível obter sucesso se ficar somente fugindo dos fracassos. Quando não estamos cometendo erros, pode significar que "não estamos enfrentando desafios".

As falhas só surgem quando você desafia algo novo. É preciso ter um sentimento de "sempre aprender com os fracassos e crescer muito mais ainda".

Desenvolva Sua Habilidade de Liderança

A Grande Capacidade de Reunir a Força de Muitos

Quando somos jovens, tendemos a acreditar em nossas forças. Por isso, é natural que coloquemos "ênfase em fortalecer nossas habilidades", nosso "poder individual". Creio que é assim que deve ser. Quando se é jovem, não se deve apoiar excessivamente nos outros.

Portanto, é bom que os jovens se concentrem em desenvolver disciplina, observando-se e aprimorando-se. No entanto, a partir de certa idade eles percebem que há algumas coisas que "não vão conseguir realizar sozinhos". Quanto maior for o sucesso almejado, mais "claro ficará que não é possível alcançá-lo somente com as próprias forças".

Nunca ninguém conseguiu obter grande sucesso sem contar com o apoio de muitas pessoas. Os líderes de revoluções e os fundadores de países, por exemplo, não conseguiriam esses feitos sozinhos. Eles sem dúvida eram grandes líderes e puderam contar com a força de muita gente.

No início, você deve se aprimorar para se tornar um líder, mas em algum ponto do caminho terá de mudar e ser capaz de reunir o poder de muitas outras pessoas.

Isso também se aplica às empresas. As pessoas que não pensam desse jeito dificilmente conseguirão obter grande sucesso. A extensão do trabalho que uma pessoa consegue dominar sozinha é muito limitada. Portanto, é necessário saber combinar a força de um grande número de pessoas para levar uma empresa ao sucesso.

Para alcançar esse nível de competência, terá de superar vários estágios de autotransformação, como ocorre com um animal que perde sua pele ou penugem para adquirir uma nova. Você precisará trabalhar muito para se desvencilhar de suas antigas convicções e adquirir uma nova competência, mais ampla.

As pessoas bem-sucedidas possuem um alto nível de competência, mas é importante que não se tornem arrogantes. "Colocar em prática a capacidade e obter reconhecimento dos demais" é o começo do sucesso, mas chegará um momento em que se deve abandonar a perspectiva de alguém que "tem competência reconhecida pelos outros" por uma perspectiva inversa, a de alguém que "sabe reconhecer a competência dos outros".

As pessoas "dão a vida" por aqueles que reconhecem e valorizam suas competências. Ou seja, elas se dispõem a se sacrificar por aqueles que "as entendem, que valorizam seu talento, sua personalidade e sua alma".

Portanto, depois de ter cultivado a si mesmo de uma maneira disciplinada, a certa altura você deve se esforçar para reconhecer o valor dos outros, descobrir suas habilidades, incentivá-los, avaliá-los positivamente e criar condições para que desenvolvam sua coragem. Torne-se alguém capaz de elogiar os outros, e não alguém que espera ser elogiado. Passe a ser aquele que consola e estimula os que estão sofrendo por causa de falhas ou contratempos, e não o contrário. É para isso que você deve desenvolver sua capacidade.

Introdução à Teoria do Sucesso

E o que você precisa fazer? Sem dúvida, isso exige bastante conhecimento e experiência, mas em última instância trata-se de "conhecer bem as pessoas; saber o máximo possível a respeito de cada uma delas". Olhe e aceite com humildade a realidade daqueles que trabalham duro, noite e dia, procurando felicidade e sucesso. Depois, cultive o desejo de "despertar a capacidade de um número cada vez maior de pessoas". Gostaria que você refletisse sobre esses aspectos.

Subordinados mais Competentes do que Você

A avaliação que você faz de si mesmo irá mudar gradualmente no decorrer da sua vida, conforme seus padrões de avaliação forem também se modificando.

Quando eu era mais jovem, "concentrava-me em aprimorar minhas habilidades, recorrendo apenas ao meu próprio esforço". Quando iniciei a Happy Science, por volta dos meus trinta anos, senti dificuldades em administrá-la devido à minha falta de conhecimento e experiência. Por isso, desde então procurei formar uma equipe de pessoas que fossem dez, vinte ou trinta anos mais experientes do que eu.

Passaram-se mais de vinte anos e agora eu emprego pessoas mais jovens do que eu como executivos. Mas durante vinte anos trabalhei com pessoas de idade superior à minha.

Sem dúvida, para os gestores de uma organização, os subordinados que se limitam a acatar instruções são mais fáceis de comandar. É natural que pessoas mais jovens do que você, com menos experiência e conhecimento, façam o que lhes é mandado, e isso facilita as relações. E é a falta de conhecimento e de experiência dessas pessoas que as leva a seguir suas instruções com rigor. No entanto, elas também têm menor competência para realizar tarefas de maior porte.

Já quando você trabalha com pessoas dez, vinte ou trinta anos mais velhas do que você, elas podem muitas vezes ressaltar sua insuficiência em termos de conhecimento, experiência e capacidade de reflexão. Podem não seguir sempre suas instruções, e procurar fazer as coisas do jeito delas. Mesmo assim, "se o seu objetivo é cumprir certas tarefas ou realizar muito bem certos trabalhos", é melhor contar com essas pessoas, que "têm o talento, a experiência e o conhecimento necessários", em vez de agir por sua conta e risco, a partir de suas considerações subjetivas sobre o que deve ser feito. É importante, então, recrutar e contar com pessoas assim, por isso você precisa ter esse bom senso.

Embora algumas pessoas tenham dificuldade em aceitar isso, é essencial saber encontrar indivíduos com a capacidade, o talento, a experiência e o conhecimento que ainda nos faltam, e entregar-lhes um cargo.

Em geral, assim como eu faço, os administradores de primeira geração precisam realizar os trabalhos junto com pessoas mais novas; mas os administradores de segunda geração preferem executivos mais velhos. Acredito que nesse sentido precisei exercitar muito a minha paciência.

Sempre fui consciente das áreas em que meu conhecimento e experiência eram insuficientes. Por isso, minha postura foi "valorizar e contar com pessoas que possuíam as competências que me faltavam". Em outras palavras, tive essa capacidade, de me associar a tais pessoas. Por essa razão, fui capaz de colocar como meus subordinados pessoas com maior competência do que eu.

Introdução à Teoria do Sucesso

Não Tenha Inveja dos Subordinados mais Jovens

Além disso, há algumas vantagens em ficar mais velho. Para uma pessoa jovem, é mais difícil contar com pessoas que sejam ainda mais novas e talentosas do que ela, mas, conforme ela fica mais velha, aceita melhor essa situação. Muitas vezes é complicado trabalhar com pessoas da mesma idade, porque isso desperta rivalidade e competição. Mas à medida que a diferença de idade aumenta, fica mais fácil lidar com pessoas com maior diferença de idade. Por isso, em geral, os presidentes das empresas têm mais idade. Quando você chega aos cinquenta, sessenta e setenta anos, torna-se capaz de contar com pessoas que tenham dez vezes mais competência do que a que você possuía aos trinta anos.

Vamos pegar o exemplo de um presidente de empresa que tenha hoje sessenta anos e que iniciou sua empresa há trinta. Naquela época, talvez ele fosse pouco hábil e não contasse com pessoal adequado, mas trinta anos depois, muita gente competente trabalhou na sua companhia à medida que ela cresceu. Quando ele chega aos sessenta anos, vê-se capaz de trabalhar com pessoas que entram na empresa e se mostram bem mais talentosas do que ele.

Portanto, em certo aspecto, "envelhecer" apresenta vantagens, entre elas "a de que você não tem mais necessidade de competir com pessoas capazes". Em resumo, quando você é mais velho, "aquelas pessoas que teriam sido seus rivais" quando você era mais novo já não o preocupam mais. Dessa forma, é possível trabalhar com pessoas mais competentes do que você sem problemas.

Algumas pessoas sentem ciúme e inveja mesmo quando há uma grande diferença de idade. Só que esses líderes que invejam os mais jovens acabam fazendo sua organização declinar. Por isso, se você pretende "desenvolver sua empresa", deve estruturá-la de modo que essas pessoas mais jovens e talentosas tenham seu espaço, possam subir dentro da empresa e expressar todas as suas competências.

Aqueles que hoje estão em posição de liderança em sua empresa devem ter sido alvo de ciúmes e mal-estar quando eram mais jovens. Nessa fase, quando se começa a ser notado e tenta-se iniciar uma trajetória de sucesso, é comum ter de enfrentar esse tipo de coisa com colegas, supervisores e chefes. Portanto, quando você fica mais velho e passa a chefiar aqueles que vieram depois de você, "deve disciplinar-se para não sentir ciúme dos funcionários mais novos e mais talentosos".

Evite ter má vontade com os mais jovens que demonstram capacidade, disposição, garra ou talento. Em vez disso, aprenda a elogiá-los e incentivá-los. É importante dizer-lhes que, mesmo que eles errem algumas vezes, você irá aceitá-los e assumir a responsabilidade por eles. Deixe claro que "Eu assumo a responsabilidade, por isso podem ir em frente, tranquilos".

Além disso, ensine-lhes que "os eventuais erros que eles cometerem em seu início de carreira não são irreversíveis", e com isso você mostrará sua grande capacidade como chefe. Basicamente, quanto maior a sua competência, maior deve ser a sua capacidade de reunir pessoas excelentes à sua volta e fazer com que expressem todo o seu talento.

Se quando você era mais novo destacou-se dos demais e sofreu com a inveja de muitas pessoas, então deve ter aprendido bastante com isso. Quando na geração seguinte surgir alguém com talento e competência, "procure não ter ciúme". "Evite que os recém-chegados passem pelas mesmas experiências desagradáveis que você enfrentou." Esforce-se de verdade para reconhecer o valor dessas pessoas.

"Para que minha empresa se desenvolva mais com a geração atual do que conseguiu fazê-lo com a minha, é preciso que surjam pessoas mais brilhantes do que eu. Será muito gratificante se surgirem mais jovens geniais, mesmo que eu sinta ciúme." É dessa forma que você deve se sentir.

O mesmo vale para os sentimentos dos pais em relação aos filhos. Quando as crianças são pequenas, elas ouvem o que os pais têm a dizer e fazem o que eles mandam. Mas conforme crescem, passam por uma fase de rebeldia até se tornarem adultos e a relação vai aos poucos ficando competitiva; as crianças passam a discutir com os pais e a desobedecer-lhes. Elas também podem atingir um status social mais alto, e seus pais podem ficar enciumados com isso. São ocorrências frequentes neste nosso mundo.

Os ciúmes dos pais são um obstáculo para o sucesso dos filhos, por isso eles devem tentar se controlar e evitar os ciúmes. Do mesmo modo, os superiores não devem invejar os subordinados.

Em resumo, "a grandeza de caráter e a capacidade daqueles que estão no alto da hierarquia empresarial" irão determinar o sucesso e o progresso da organização inteira.

Desfrute do Processo de Crescimento e "nunca Deixe de Aceitar Desafios"

Então, o que devem fazer aqueles que estão no topo da hierarquia para aumentar sua capacidade? A resposta, obviamente, é "assumir sempre novos desafios". É crucial "não limitar seu sucesso traçando uma linha de chegada para a sua trajetória". Em vez disso, "tenha como meta crescer e seguir adiante, ano após ano. Faça o máximo para desenvolver suas competências, ganhar experiência e conhecimento e crescer em diversas áreas".

É desnecessário dizer que a força física e a prontidão para a ação são coisas que declinam com a idade. Então, procure compensar isso com conhecimento, experiência e visão profunda, e "trabalhar para crescer em outras direções".

Enquanto aqueles que estão no topo da hierarquia continuarem crescendo, seus seguidores também conseguirão crescer. Se quem está no topo cria um teto e diz: "Assim já está bom. Não é preciso ir além", então isso será o fim do crescimento. Essa condição é similar àquela de lojas estabelecidas há muito tempo, que preservam uma receita tradicional durante décadas. As pessoas que entram nela não são capazes de se desenvolver mais, e dentro da organização pode haver muito ciúme e inveja, competição excessiva e uma rotatividade constante de pessoas.

Consequentemente, você não deve basear o sucesso em resultados. Em vez disso, pense sempre que "o sucesso consiste em desfrutar do processo de crescimento", e em "ter o desejo de se desenvolver ainda mais". Mantenha sempre esse tipo de aspiração.

Neste capítulo, concentrei-me principalmente nas atitudes e na maneira de pensar da Teoria do Sucesso, num nível introdutório. Espero que isso tenha lhe proporcionado orientações importantes.

Capítulo Dois

Nunca Deixe Seu Coração Se Partir

O Futuro Irá Mudar quando Você Descobrir a "Força da Sua Mente"

Seu Coração Jamais Se Partirá

Desde o grande terremoto ocorrido no Japão em março de 2011, as pessoas passaram a usar a expressão "estou com o coração partido". Este capítulo tem um título pouco usual, e o que desejo expor aqui são as questões envolvidas em possuir um "coração forte".

Em anos recentes, a expressão japonesa "*kokoro ga oreru*", que numa tradução literal significa "meu coração se partiu", passou a ser muito utilizada no Japão. Ela se popularizou depois que um conhecido esportista a empregou na declaração que fez ao se aposentar de sua atividade esportiva. Ele decidiu encerrar sua carreira quando, ao final de uma partida, sentiu-se muito desestimulado e abriu mão de suas aspirações. Nessa oportunidade, explicou que seu coração simplesmente havia se "partido", como se fosse um pedaço de madeira que se quebra em duas partes.

Minha impressão é de que as pessoas começaram a usar com maior frequência a frase "meu coração se partiu" (sinônimo de ficar desestimulado ou decepcionado) depois do grande terremoto que abalou o leste do Japão em 11 de março de 2011. Como ouvi essa expressão com frequência, ela chamou minha atenção.

Quando alguém diz que seu coração se partiu, parece estar dando o mesmo sentido que "uma vareta de incenso partindo-se em duas", mas um coração não pode ser partido com essa facilidade. Até mesmo os *hashis*, os pauzinhos orientais usados para comer, são difíceis de quebrar. Por isso, fico me perguntando que tipo de coração as pessoas estão imaginando quando falam que ele pode "partir-se" tão facilmente.

"A Happy Science ensina que a mente é o coração espiritual e possui a forma de uma esfera preenchida pela luz de Buda ou de Deus." No entanto, em nossa vida neste mundo, várias coisas acabam se acumulando na mente, como se fossem poeira ou fuligem, deixando-a nublada.

Para que esse coração distorcido recupere seu estado original, perfeitamente esférico e brilhante, ele precisa ser polido pela prática da autorreflexão. Esta é a forma que nossa mente assume quando retornamos ao mundo celestial. Assim, "a mente, o coração real, é um corpo de energia preenchido de luz, e não algo que possa se romper".

Por outro lado, a sociedade atual pensa que a mente é algo muito frágil e simples. Por exemplo, outro termo de sentido semelhante que se popularizou um tempo atrás no Japão foi o som "tum!" produzido quando algo se rompe. Ele parece refletir "uma corda de violão ou violino quando se rompe", ou o "som repentino produzido quando a mente cheia de energia atinge um ponto de tensão excessiva".

Sem dúvida, considerando a época em que vivemos, posso entender até certo ponto que as pessoas se sintam assim. Nos últimos vinte anos mais ou menos, a sociedade como um todo parece ter ficado estagnada e o futuro se mostra sombrio. O panorama político e empresarial do mundo parece muito pouco animador.

O cenário econômico é bastante sombrio nos Estados Unidos e na Europa. Quanto à África e ao Oriente Médio, estão ocorrendo várias "revoluções" ou "pseudorrevoluções" em diversos países da região.

Quando olhamos para o mundo a partir de fatos como esses, o futuro parece mesmo pouco esperançoso. E, sem dúvida, se examinarmos determinados aspectos, a impressão é de que as coisas chegaram a um impasse e que nossa era parece estar alcançando um fim. Com uma situação dessas, ruim para os indivíduos e para as companhias, muitas pessoas podem se sentir completamente "desestimuladas", e mais pessoas ainda poderão se sentir assim no futuro.

Desde 2003, a Happy Science vem promovendo uma longa "campanha antissuicídio", mas quando a sociedade e o ambiente de negócios entram em declínio, o número de suicídios inevitavelmente aumenta. Ainda não foi possível evitar por completo esses suicídios, e é muito difícil conseguir isso sem que a própria sociedade seja aprimorada. Por isso, neste capítulo quero voltar ao nosso caminho principal, o da espiritualidade e da religião, e falar de assuntos que incluem questões relativas à mente, ou ao coração.

"Nunca Deixe Seu Coração Se Partir" É uma Expressão Poderosa

O título deste capítulo, "Nunca deixe seu coração se partir", isto é, nunca desista, equivale ao que no budismo é chamado de uma "severa reprimenda". E hoje eu gostaria de chamar a atenção das pessoas para que não fiquem enfraquecidas demais.

Em particular, o povo japonês está perdendo a confiança, como resultado do caos político e da grande repercussão na mídia do forte terremoto de "março de 2011", com o tsunami gigante e o acidente nuclear que se seguiram. Com isso, o Japão está perdendo sua posição de liderança mundial.

Com a ausência de boas perspectivas futuras e a falta de liderança, há uma sensação cada vez maior de que nosso crescimento estancou. Assim, as conversas são sempre sombrias e fatalistas, e nos dão a impressão de que as pessoas no Japão vivem a vida como se mergulhassem na lama. Houve muitas enchentes, particularmente a partir de 2011, e de fato pode parecer que estamos vivendo no meio de água e lama, num cenário turvo e entristecido.

No entanto, não é bom que as pessoas tenham esse "sentimento de tristeza e falta de clareza". Para começar, essa forma de pensar não está em sintonia com a Happy Science e entra em conflito com a nossa vibração espiritual. Meu desejo é que as pessoas consigam adotar uma direção clara e recuperem a força para avançar.

Além disso, já é tempo de os japoneses mudarem suas atitudes e sua maneira tradicional de pensar. O povo japonês tem a tendência de "se acomodar" e "se mover em círculos", em vez de seguir adiante. Mas mesmo que as pessoas se sintam felizes em manter a situação atual, elas precisam seguir em frente.

Por exemplo, os estrangeiros, que olham a situação de fora, acham que a mentalidade do Japão não combina com o seu poder como nação, e constatam que falta alguém que se mostre capaz de transmitir uma correta imagem para o mundo. Eu acho esse estado de coisas profundamente lamentável. Houve casos de governantes que incentivavam o princípio de "manter-se fora dos holofotes", o que é de fato lamentável.

Nunca Deixe Seu Coração Se Partir

Na minha visão, o Japão precisa assumir a sua missão no mundo. Para isso, deve exercer uma liderança mundial mais ativa. Sinto que é preciso avançar de maneira vigorosa. Não podemos deixar que as coisas continuem do mesmo jeito. Acredito que chegou a hora de surgirem "pessoas capazes de iluminar o futuro da humanidade".

Como São as Pessoas Que "Sentem o Coração Partido" Facilmente?

Primeira Característica: Inflexibilidade

Hoje muita gente se queixa de que seu "coração se partiu" e de que se sente completamente desanimada. Como esta é uma questão que deve ser resolvida pela religião, espero que muitas dessas pessoas venham às nossas unidades espiritualistas para procurar aconselhamento. Mas quais são as características das pessoas que se desestimulam com facilidade?

A primeira delas é a inflexibilidade. Em termos populares, essas pessoas possuem uma cabeça-dura. Ou seja, são incapazes de "pensar de modo flexível ou de mudar a maneira de pensar de acordo com a situação". E, como são inflexíveis, quando algo inesperado ou imprevisto acontece, como um terremoto, uma recessão, um acidente ou problemas de relacionamento, elas logo se sentem muito afetadas.

Portanto, a primeira coisa a dizer a essas pessoas que "afirmam estar desanimadas" é que "elas precisam ser mais flexíveis na sua maneira de pensar". As pessoas desanimam com facilidade quando têm dificuldades para lidar com os problemas. Elas não se esforçam em desenvolver um pouco mais de flexibilidade para examinar as coisas, nem para mudar sua maneira de viver. O mundo, porém, está em constante mudança e, portanto, é necessário, antes de mais nada, que se perceba essa "inflexibilidade".

Segunda Característica: Perfeccionismo

A segunda característica é que em geral "são perfeccionistas". Pode parecer surpreendente, mas dentre os que desanimam com facilidade há muitos perfeccionistas. Eles são bem-humorados quando estão no seu melhor ou quando tudo está correndo bem. No entanto, todo mundo tem altos e baixos, e, quando são afetados pelas circunstâncias ou por algum colega de trabalho, os perfeccionistas sentem muita dificuldade em lidar com essas situações.

Muitos entre eles se queixam de que estão com o "coração partido" e ficam facilmente desestimulados. Mas são eles mesmos que tornam a própria mente frágil, tal como uma vareta de incenso que se parte com facilidade, abandonando assim suas aspirações.

Na verdade o "coração não pode se partir", mas se essas pessoas conseguissem ver que sua "mente é flexível como borracha", não teriam a sensação de que ela se partiu. São elas mesmas que tornam seu coração frágil e acabam ocasionando a própria ruína.

Por isso, se alguém mostrar uma tendência exagerada ao perfeccionismo, deve ser alertado sobre isso. Devemos dizer-lhe: "Talvez você ache que está levando uma vida perfeita, mas, por favor, tente refletir sobre o que há de perfeito na sua vida atual. É preciso examinar a vida em detalhes, desde o nascimento. Veja se há algum aspecto em que você conseguiu alcançar 100% na vida. Será que ela se mostra perfeita? Por favor, reflita sobre isso. Será que sua vida não se apresentou imperfeita em nenhum aspecto"?

Não importa qual seja a maneira de as pessoas encararem a vida, não existe ninguém perfeito. Todos têm suas falhas. Por exemplo, tirar uma nota máxima é algo que você só consegue no seu primeiro ou segundo ano da escola elementar, quando as questões se resumem a simples contas de somar e subtrair. Depois disso, não é nada fácil tirar uma nota máxima. Em geral, as pessoas começam a cometer erros ao aprender a divisão. Toda pessoa normal comete erros na divisão, e os que conseguem nota máxima nisso são os excepcionalmente brilhantes.

Mas mesmo as "pessoas brilhantes" que tiram sempre nota máxima nas provas de matemática começam a ter notas mais baixas quando passam a estudar noções mais complexas. Nesse sentido, elas tampouco conseguirão levar "uma vida perfeita", isenta de erros.

Conforme crescemos, a vida se torna mais difícil. Os estudos exigem mais da gente, as relações interpessoais ficam mais complexas e o trabalho mais duro. Quando entramos numa empresa, quanto mais alto o cargo, mais complexo se torna o trabalho. Portanto, é um absurdo procurar a perfeição quando não se consegue ver o que o futuro nos reserva.

No final das contas, somos "seres imperfeitos" vivendo num "mundo imperfeito". Temos de reconhecer esse fato e aceitá-lo. E apesar de viver nesse mundo imperfeito, devemos nos esforçar para "viver da melhor maneira possível". Esse é um dos sentidos da vida.

Assim, se perguntarmos a alguém que está mergulhado na autopiedade: "Onde está a perfeição na sua vida?

Será que ela existe na vida de alguém? Por favor, tente encontrar alguém que tenha uma vida perfeita". Certamente, será incapaz de encontrar uma resposta.

Até o primeiro-ministro de um país é imperfeito e apresenta muitas falhas. Qualquer um é capaz de criticar o primeiro-ministro, mesmo que seja a partir de um incidente que viu algum dia noticiado na tevê ou no jornal. Suas falhas são óbvias até para pessoas de outros países. No Japão, houve até o caso de um conhecido primeiro-ministro ter falhas tão evidentes que mesmo o espírito de seu antigo mentor, Konosoke Matsushita, enviou uma mensagem espiritual criticando-o. Certamente não era perfeito mesmo[2].

Ninguém é capaz de ter uma vida perfeita. Portanto, em certo sentido, numa sociedade moderna é insensato ser perfeccionista. Nossa era atual é muito complicada; estamos vivendo tempos em que o futuro permanecerá fechado para nós, a não ser que tenhamos o ânimo de desafiar a nós mesmos, correr novos riscos e almejar grandes altitudes.

Naturalmente, para que possamos nos imbuir desse ânimo precisamos aceitar um certo nível de falhas e superá-las. Ninguém consegue fazer nada quando coloca como prioridade não cometer nenhum erro. Isso cria a tendência de evitar coisas novas a qualquer custo. E não há mérito nenhum em afirmar que vive uma vida perfeita, que é perfeccionista, que nunca falhou.

Essas pessoas precisam ser instruídas a remodelar sua vida e passar a assumir mais desafios. Na verdade, elas sim-

---

2. Esse primeiro-ministro estudou no Instituto Matsushita de Governo e Administração, e o espírito de Konosuke Matsushita criticou-o por meio de uma mensagem espiritual.

plesmente têm medo de se machucar. Precisamos perguntar a elas "Que tipo de contribuição estão dando à humanidade? Que tipo de ato estão fazendo que implique serviço aos outros? Vocês pretendem partir desse mundo sem deixar nenhum legado?" e com isso impulsioná-las a agir. É preciso que alguém diga a elas: "Parem de se preocupar com a possibilidade de criar constrangimentos para a sua vida ou de fracassar. É mais importante tentar avaliar honestamente o quanto de progresso vocês já realizaram de fato".

Portanto, é muito comum encontrar perfeccionistas entre as pessoas que perdem totalmente a motivação, e é preciso estar atento para não incorrer nesse erro.

Terceira Característica: Egoísmo

Expliquei que a primeira característica das pessoas que desanimam facilmente é "a inflexibilidade" e a segunda, "o perfeccionismo". Além destas, embora pareça um pouco rude dizer, há uma terceira característica, que é o "egoísmo". Muita gente não tem consciência desse fato, mas, falando sinceramente, tais pessoas pensam apenas em si mesmas.

Muitas delas nem sequer percebem isso. Acreditam que "estão levando a vida por uma via pura e bonita", e sempre se veem como vítimas. Fazem afirmações do tipo: "O que me atrapalha são as forças externas, como a economia ou o ambiente de negócios" ou então "Meus superiores hierárquicos estão tentando arruinar a minha vida". Essas pessoas sempre colocam "os outros como culpados" por sua infelicidade ou sofrimento, ou por seu trabalho não estar indo bem. Em muitos casos, enxergam a si mesmas como "heróis ou heroínas trágicos".

Nunca Deixe Seu Coração Se Partir

Com certeza, pessoas que se imaginam como heróis ou mártires e que cultivam esse tipo de autoimagem por longo tempo acabam acreditando nisso. Elas poderiam parecer muito interessantes no mundo ficcional dos filmes e romances, mas aqui no mundo real são francamente egoístas. Ou seja, pensam apenas em si mesmas.

Eu gostaria de perguntar a elas: "O que vocês pensam das pessoas à sua volta?" Eu entendo como vocês se sentem; vejo que estão magoadas, mas e quanto aos outros? O que vocês me dizem daqueles com os quais vocês convivem? Será que eles também não foram prejudicados? Já pensaram nos sentimentos dos que tentaram muito ajudar vocês, mas não tiveram condições para isso?

Há pessoas que dizem que "estão sofrendo e pedem ajuda", então todos se juntam à sua volta para dar-lhes apoio. Mas quando a pessoa é egoísta, não adianta oferecer conselhos e tentar ajudar, pois todos os esforços são inúteis. Elas continuam dizendo coisas como: "Não gosto do meu trabalho", "Estou sofrendo muito" ou "Não vejo um bom futuro para mim" e ficam pensando apenas nelas mesmas. Isso é egoísmo, mas elas não compreendem. Não percebem que são egoístas, e se portam como uma "Cinderela perseguida". Talvez fosse o caso de dizer-lhes: "Deem uma boa olhada em vocês. Acham que estão vestidas com farrapos, com uma vassoura na mão, forçadas a varrer os quartos e o quintal. Agem como uma Cinderela maltratada, e não percebem que logo mais poderão estar usando sapatinhos de cristal e indo para um baile real. Será que não estão cometendo um engano? Quando as pessoas se veem como princesas, mas buscam razões para se magoar facilmente, então o problema está nelas". Dessa forma, precisamos orientá-las.

É surpreendentemente difícil perceber o próprio egoísmo. Pessoas que agem como heróis ou heroínas trágicos estão na verdade tentando usurpar o amor das outras pessoas, sem perceber que isso significa o "amor que toma (rouba)". Elas acham que "tomar" significa apenas "apoderar-se de bens ou do dinheiro dos outros, a fim de obter alguma vantagem ou ganho financeiro". No entanto, essa atitude de "reclamar daquilo que elas não têm ou de sua falta de sorte", procurando despertar a compaixão dos outros e tentando ganhar seu afeto ou conseguir sua atenção, pode muito bem ser considerada como uma atitude de "roubar amor". São muitas as pessoas que não têm a menor consciência disso.

Essas pessoas muitas vezes reclamam que perderam toda a esperança, mas elas precisam compreender que estão manifestando "um lado muito egoísta". E não conseguirão praticar a autorreflexão enquanto não entenderem isso. A autorreflexão é impossível quando a pessoa se vê como um mártir, porque se você acredita nisso, passa a achar que "todos à sua volta são maus e estão dispostos a prejudicá-lo".

Resumindo, citei aqui três características das pessoas que dizem estar com o coração partido, isto é, que se desanimam com facilidade. A primeira é que elas são "inflexíveis". A segunda é que "tendem a ser perfeccionistas" e a terceira é que, "surpreendentemente, elas são egoístas".

A autorreflexão é impossível para essas pessoas, a não ser que aceitem que são egoístas. Elas precisam estar conscientes de que "estão causando transtornos para os outros", e precisam compreender que "estão levando a vida tomando amor dos outros".

Repetindo, os egoístas são um inconveniente para as outras pessoas, que vivem tentando apoiá-los de várias maneiras, seja de modo ostensivo ou velado. Às vezes, simplesmente ficam preocupados. Outras vezes fazem tremendos esforços para compensar quaisquer erros que o egoísta tenha cometido, ou para justificar suas atitudes de alguma maneira perante os outros.

O egoísta, no entanto, não sente nenhuma gratidão por isso. E por quê? A razão é que um egoísta só consegue pensar em si mesmo. Precisamos orientar essas pessoas para que se distanciem um pouco de sua situação atual e "deem uma boa olhada em vocês pela perspectiva de outra pessoa". Os egoístas precisariam ter uma ideia real "do número de pessoas com as quais estão em débito, das quais recebem amor, e também do quanto estão sendo amados neste preciso momento".

Por mais que essas pessoas fiquem repetindo que "estão com o coração partido", desanimadas, isso na verdade não interessa a ninguém. São como varetas de incenso que podem ser compradas aos montes, e não importa quantas delas se quebrem, sempre podem ser substituídas por outras. Por isso, você não deve se preocupar demais com pessoas assim, que vivem reclamando de seus infortúnios. Elas quase sempre estão querendo despertar a sua compaixão.

Você deve alertá-las dizendo: "Vamos lá, pare de choramingar, e restabeleça seu coração!". A mente humana é por essência muito mais forte do que podemos imaginar.

As Situações Difíceis Fortalecem o Coração

A "Natureza Búdica" Reside no Coração Humano

A Happy Science ensina que "todas as pessoas têm uma natureza búdica". Também ensina que "todos os seres humanos são filhos de Buda, filhos de Deus". Qual é o sentido desses ensinamentos?

O zen-budismo afirma que "você pode se tornar um Buda se praticar meditação *zazen*", a meditação sentada, mas essa maneira de pensar é um pouco enganosa. É bastante ingênuo "achar que você pode se tornar um Buda" continuando a ser do jeito que é, "bastando simplesmente sentar e meditar". É ir um pouco longe demais ensinar que você pode se tornar um Buda apenas copiando sua postura sentada. Num certo sentido, esses ensinamentos se baseiam numa concepção materialista.

Embora o treinamento espiritual vise construir uma riqueza interior, a Happy Science ensina que "os seres humanos são dotados da mesma natureza que Buda ou que Deus". Isso significa que, "se eles adquirirem o hábito de pensar e de agir da mesma maneira como Buda, e se assim se esforçarem, a possibilidade de se tornar como Buda" está aberta a todos. É esse o sentido dos ensinamentos: "os seres humanos têm natureza búdica" e "o coração emite luz quando é polido".

Os seres humanos possuem essencialmente "a mesma natureza sagrada que Buda, que Deus". A única diferença está na quantidade de luz emitida, que varia de acordo com o grau de polimento de cada alma. Muitas vezes esse polimento é desigual por haver algumas áreas encardidas. Mas se o polimento for adequado, é possível emitir o mesmo tipo de luz com que o Buda resplandecia.

A luz emitida varia de acordo com as tendências da alma de cada pessoa. Assim como as cores das pedras preciosas variam, as almas também podem refletir um brilho amarelo, branco, vermelho ou verde. A "forma" dessa luz também varia conforme os atributos de cada um.

Por exemplo, um professor pode brilhar de modo diferente do que um artista ou um político. Mas, mesmo que a cor da luz varie conforme a pessoa, o princípio da natureza búdica diz que cada pessoa possui a mesma qualidade, que "se for polida irá se tornar uma esfera reluzente". Quando analisamos as coisas por essa perspectiva, percebemos que as pessoas que "desanimam" facilmente veem a si mesmas como "seres muito frágeis", que ficam tentando despertar a compaixão dos outros. Precisamos ensinar-lhes que "a verdadeira natureza dos seres humanos é bem mais forte e tem um potencial muito maior" do que elas imaginam.

O Mundo É uma "Escola para Aprender a Polir a Alma"

Quando levamos em conta que "o grande terremoto que atingiu o leste do Japão era de magnitude 9,0, e que sismos dessas proporções só ocorrem a cada mil anos", isso de fato pode causar uma "sensação de desamparo e impotência".

No entanto, este é na realidade o princípio fundamental do budismo, que ensina que "todas as pessoas irão experimentar o sofrimento durante sua vida neste mundo e não há como evitá-lo".

No budismo, o primeiro Selo do Darma é "a impermanência de todas as coisas", ou seja, "nada neste mundo dura para sempre e todas as coisas se desvanecem, são destruídas ou desaparecem". De fato, tsunamis, inundações e terremotos são todos eventos que passam e se vão com o tempo.

As vítimas de um desastre enfrentam inúmeros problemas. As casas ficam inabitáveis ou são destruídas, elas perdem o emprego ou sofrem com a perda de familiares. Mas incidentes como esses também ocorreram há 2.500 anos, na época do Buda. Portanto, o budismo nos ensina a viver num mundo que tem essas características.

Não devemos nos apegar às coisas do mundo. A única coisa que levamos conosco para o Mundo Verdadeiro é nossa mente, o coração, portanto, a única coisa que está ao nosso alcance fazer é aprimorá-lo. Todos os fenômenos que ocorrem neste mundo, tanto as experiências felizes como as que nos fazem sofrer, quer se trate de relacionamentos interpessoais ou de quaisquer outros incidentes, servem para aprimorar nossa alma. Este mundo é uma "escola para as almas". Seja qual for a infelicidade que se apresentar neste mundo, "a chave é a maneira de superá-la". Precisamos aceitar que existe uma razão em estar vivendo neste mundo.

A Importância de Nunca Desistir

Imagino que as vítimas do grande terremoto ainda estejam sofrendo muito, mas ficar sensível demais às palavras negativas que as pessoas dizem sobre isso cria um problema ainda maior, pois pode levá-las a desanimarem facilmente.

O Japão conseguiu se reerguer das ruínas após a Segunda Guerra Mundial. Do mesmo modo, acredito que as pessoas na região do desastre também devem fazer todo esforço possível para se "reerguer mais uma vez das ruínas". Não é bom ficar simplesmente esperando. Elas devem tentar se recuperar de novo, decidir qual é o melhor caminho. Se não gostam de onde estão agora, devem mudar para outro local e procurar dar o melhor de si. Se decidirem "reconstruir a vida onde moravam originalmente", terão de ajudar a reconstruir suas cidades. O importante é que tenham uma disposição sólida de concretizar seu desejo.

Thomas Edison, que realizou um número extraordinário de experimentos, certa vez perdeu num incêndio a fábrica onde funcionava seu laboratório. Enquanto seu local de trabalho pegava fogo, Edison reuniu toda a família, inclusive as crianças, e mostrou-lhes o laboratório em chamas dizendo: "Observem isso com atenção, porque é raro ter a chance de ver um incêndio como esse". Portanto, num certo sentido, Edison pode ter percebido uma "ruptura" em sua mente, mas como o laboratório de qualquer modo havia sido destruído pelo incêndio, não restou alternativa a não ser começar tudo de novo.

Mesmo que fracassem centenas ou milhares de vezes, é desse modo que reagem aos desafios as pessoas que prosseguem em suas pesquisas. Uma das alternativas é fazer como Edison e pensar: "Não vou desistir só porque meu laboratório pegou fogo; vou recomeçar do zero". Mesmo que você não tenha dinheiro, pode convencer as pessoas a financiarem seu projeto e reiniciar seu trabalho.

A companhia fundada pelo homem que perdeu seu laboratório num incêndio é hoje a GE (General Electric), uma das maiores empresas do mundo. Portanto, é extremamente importante "não desistir nunca".

Aceite as Provações e Tenha Persistência para Superá-las

No decorrer da vida, as pessoas sofrem vários reveses e experimentam sofrimentos. Mas pode-se dizer que esses obstáculos servem "para testar nossa determinação".

A felicidade da vida não é ter uma "vida tranquila". Todas as crises que precisamos enfrentar são desafios colocados para testar e enriquecer nossa alma. São como "um teste para ver como reagimos e como faremos para superá-los". Podemos pensar simplesmente: "Tudo bem, vamos ver como enfrentar os problemas e o que fazer para superá-los". Como no surfe, você precisa enfrentar a "onda gigante" e superá-la. "Não nos sentiremos satisfeitos" quando "nada acontecer". Se você se contentar com isso, é sinal de que "não gosta de mudanças", e que "só é capaz de repetir o que já foi feito" e de "pensar de maneira burocrática". Esse modo de vida, porém, nunca irá criar nenhum valor novo.

"Pessoas que querem ser bem-sucedidas, que desejam deixar algum tipo de legado", que "querem acrescentar algo novo ao mundo", aceitam que esta meta vem acompanhada sempre por um grau de risco. Consideram normal ter de enfrentar críticas e passar por fracassos. O que importa é "como elas irão superar essas situações".

Pode haver momentos na vida em que você sinta que seu coração se partiu e perca o ânimo em prosseguir, mas o que eu quero é que não desista. É nas horas de dificuldades que precisamos ser fortes e continuar tentando com persistência.

Reiniciar a Vida a Partir do Zero

Quando você percebe que de fato "não tem talento nem sorte", também pode fazer disso um novo ponto de partida. Se sentir que "chegou ao fundo do poço e foi abandonado pelos deuses da felicidade", é nessa hora que deve optar por um reinício em novas bases. Quero que você seja forte quando estiver "no fundo do poço". O importante é pensar "no que pode fazer a partir desse ponto".

Gostaria de compartilhar com você minha história pessoal a respeito disso. Há uns dez anos, fui acometido por uma doença grave e minha vida chegou a correr risco. Mas consegui me recuperar, e desde então já publiquei setecentos livros e dei cerca de setecentas palestras (até dezembro de 2012). Nos últimos dez anos, também fundei a Academia Happy Science (escola inaugurada na cidade de Nasu, Japão, em abril de 2010), criei o Partido da Realização da Felicidade (maio de 2009) e continuei expandindo meu trabalho de difusão dos ensinamentos da Verdade, dando muitas palestras no exterior (mais de vinte nos cinco continentes).

Quando fiquei doente, o médico disse que eu deveria "manter repouso absoluto", mas logo em seguida já iniciei atividades físicas e, como resultado, acabei ficando com uma saúde melhor do que antes. Pode-se dizer que recuperei minha juventude. Na verdade, o que é aceito comumente como regra neste mundo não se aplica muito a mim.

Por exemplo, a moderna medicina ocidental "trata os humanos basicamente como máquinas que não podem ser consertadas depois que quebram". Segundo os médicos, "já que o corpo humano não irá voltar ao seu estado anterior, deve-se ter o maior cuidado para não danificá-lo ainda mais". De certo modo, eles tratam o corpo como as peças de uma máquina, e pensam apenas em termos de substituir aquelas que não estão mais funcionando bem. No entanto, essa é uma maneira de pensar materialista.

Graças às atividades físicas, meu corpo agora é bem mais forte do que quando eu tinha trinta anos. Hoje consigo voar por todo o mundo dando palestras. Por exemplo, em setembro de 2011, fiz palestras em Cingapura e na Malásia. Ao voltar para o Japão, já emendei com oito palestras em dez dias, antes de ir até um templo para fazer a palestra que serviu de base a este capítulo.

Do mesmo modo, continuo a treinar minha força espiritual. Minhas palestras no exterior, por exemplo, são sempre realizadas sob circunstâncias bastante desafiadoras.

Mesmo quando fico sabendo, antes de uma palestra, que "as agências de segurança pública, como a CIA, estão investigando a Happy Science", eu adoto uma postura decidida e procuro encará-los pensando: "Se acham que podem fazer alguma coisa contra o Mestre do Mundo, que experimentem!". Sinto que não tenho nada a temer, e houve casos em que cheguei até a criticar os governos desses países nas minhas palestras.

Na Malásia, particularmente, como parte da política nacional do país, há uma regulamentação que "proíbe trabalhos de divulgação religiosa com muçulmanos ou palestras que possam convertê-los a outra religião". Por isso, quando dei minha palestra, havia "a possibilidade de sermos perseguidos", e nossos membros locais ficaram um pouco receosos. Então inserimos uma observação nos nossos anúncios em jornais e em nossa divulgação, advertindo que "o evento era exclusivamente para não muçulmanos". No entanto, não havia problema se muçulmanos de outros países quisessem ouvir minha palestra. Com isso, vários muçulmanos do Irã compareceram.

Nessa palestra, afirmei de maneira bem clara que "achava muito estranho muçulmanos do Irã poderem comparecer à palestra, enquanto os muçulmanos da Malásia não tinham permissão para isso, e sugeri que essa política fosse modificada". Também fiz um desafio mais geral, embora de maneira um pouco mais indireta, dizendo que "a Malásia está pretendendo tornar-se uma nação desenvolvida até 2020, mas o país precisa mudar sua política, porque não será considerada uma nação desenvolvida se continuar defendendo políticas culturais equivocadas. Se prosseguir com suas políticas discriminatórias, como cobrar pesados tributos de comerciantes chineses a fim de distribuir o dinheiro arrecadado entre os malaios pobres (a chamada política Bumiputera), o país não conseguirá a necessária união e a Malásia nunca alcançará o nível das nações desenvolvidas".

A experiência de ministrar palestras no exterior em circunstâncias tão adversas me fez perceber o quanto "é confortável" viver no Japão, já que o nosso povo é muito "receptivo e cordial". De momento, não há qualquer indicação de que eu venha por algum motivo a ser assassinado no Japão, e sinto-me grato por isso.

Esses incidentes mostram também que, quando as pessoas enfrentam provações mais sérias, começam a ver os demais desafios como um fardo bem mais leve. Na verdade, é sempre bom não se acomodar demais às facilidades.

No Seu Coração Há uma Força Latente Cem Vezes Maior do Que Você Imagina

Talvez estejamos vivendo numa era difícil. De qualquer modo, gostaria de transmitir a ideia de que "é melhor abandonar a atitude de confiar cegamente nas autoridades". Evite pensar "Haverá crescimento se as políticas do país forem acertadas" ou "Se os países estrangeiros estão indo bem, a economia do nosso país também irá melhorar".

É essencial que cada cidadão individualmente "pense a respeito do que pode fazer" e, ao mesmo tempo, que "o governo também pense no que pode fazer pelo país". Não faz sentido "ficar simplesmente esperando" que o governo e as autoridades façam todo o trabalho.

Por exemplo, quando se trata da reconstrução numa área afetada por algum desastre natural, "se a sua casa estiver caindo, você não deve ficar esperando que o governo venha consertá-la". É importante que você mesmo comece a fazer o que for possível.

A essa altura não dá mais para aceitar que as pessoas fiquem com desculpas como: "Eu perdi todas as minhas esperanças, pois estou com o coração partido". Em vez disso, você deve incentivá-las e dizer: "Mesmo que você se sinta muito deprimido, precisa recuperar o ânimo logo e tentar dar o melhor de si".

Nunca Deixe Seu Coração Se Partir

Falando honestamente, as pessoas que dizem que estão com o coração partido, que perderam o ânimo, ainda não descobriram de fato o que é seu "coração". É por isso que dizem que ele "se partiu". Se conhecessem o poder da mente que reside em seu interior, com certeza conseguiriam fazer com que uma força muito superior surgisse. É isso que eu gostaria que você entendesse.

Cada um de nós tem dez, cem vezes mais força do que imagina, em estado potencial dentro do coração. Eu sinceramente gostaria que você tivesse consciência disso.

As coisas que você considera "impossíveis" atualmente podem se tornar viáveis após alguns anos. Se você tiver força para visualizá-las, elas com certeza se manifestarão. Se você deseja alguma coisa com muita intensidade na sua mente, seu desejo irá transformar a realidade e se concretizará. É esse o verdadeiro poder da mente.

É isso o que a Happy Science ensina. Se você tem uma mente forte, tudo irá se dobrar ao seu desejo. O futuro irá mudar, e você também irá mudar. Quando o seu estado mental muda, seu corpo muda e as pessoas em volta de você também.

Eu era forte fisicamente e nunca havia ficado doente, mas depois de passar pela doença que mencionei, sou agora capaz de curar muitas pessoas de suas doenças. Por isso, acho que foi bastante benéfico para mim passar pela experiência da doença.

Atualmente, só de andar pelos corredores em meio à plateia num auditório de palestra, as pessoas que estão sentadas mais próximo às vezes são curadas de suas enfermidades. Algumas pessoas ficam curadas simplesmente ao pegar o folheto que anuncia minha palestra. Estão ocorrendo tantos fenômenos espirituais que chego a me preocupar um pouco, achando que estou sendo excessivamente indulgente.

Seja como for, acredito que é desse tipo de organização espiritual que precisamos no Japão e no mundo. O meu ideal é que continuemos a nos esforçar arduamente para nos tornarmos uma organização que emite uma luz cada vez mais intensa.

Capítulo Três

Viva Positivamente

Não Tenha Medo de Fracassar e Continue Desafiando a Si Mesmo

Viva Positivamente

1

Inspire-se nos Pontos Positivos do Japão

O Japão É uma Mistura de "Progresso", "Prosperidade" e "Harmonia"

Se examinarmos o Japão como um todo, hoje, veremos uma tendência de aceitação e anulação do ego em favor do grupo. Ao longo dos anos, isso parece ter criado uma cultura mais receptiva àquelas pessoas que procuram esconder sua individualidade. No Japão, "as pessoas que escondem as características de sua personalidade" são consideradas sábias. Por isso, tende-se a "valorizar a atitude de atenuar ou suprimir a personalidade e de ocultar os verdadeiros pensamentos".

Essa cultura fica evidente no fato de o Japão ser também chamado de *Yamato-no-kuni* ou "o país da grande harmonia". Desde o início, "a fim de promover a unidade e a harmonia, procura-se criar uma atmosfera onde pessoas com uma postura mental similar possam se juntar e formar um grupo". Esse tipo de espírito tem raízes profundas, e o Japão moderno se formou a partir de uma combinação desse caráter tradicional com valores como a democracia e seu complemento, a igualdade, que encontraram espaço no país em sua história recente.

O Japão é chamado de *Yamato-no-kuni*, onde se valoriza a harmonia acima de tudo, apesar de seu principal espírito guia, Ame-no-minaka-nushi-no-kami, ser um deus que defende vivamente o crescimento e a prosperidade, como podemos ver em sua mensagem espiritual[3]. Ele é o deus mais elevado na hierarquia espiritual do xintoísmo. Há também uma deusa chamada Amaterasu-o-mikami, uma entidade pacífica e harmonizadora; embora a personalidade dela predomine entre o povo japonês, o deus principal na condução do Japão estimula o progresso e a prosperidade.

Portanto, o Japão é movido por dois grandes espíritos guias principais: um que proporciona progresso e prosperidade e outro que proporciona a harmonia. Em concordância com isso, caracteriza-se, de um lado, por "um forte sentimento de igualdade, comunidade e camaradagem", e, de outro, por um desejo de força e progresso, como podemos ver no empenho do Japão em "superar os países ocidentais", distanciando-se da Ásia e se aproximando do Ocidente, assim como em sua obstinada determinação de "não ser absorvido pelo Ocidente". Acredito que o Japão tem sido formado por uma combinação dessas duas tendências: criar harmonia e fomentar a prosperidade.

O Japão Mantém um Alto Grau de Civilização desde os Tempos Antigos

Não foi de repente que o Japão se tornou um país importante após o fim da Segunda Guerra Mundial; antigamente, também era um país excelente. Antes mesmo da última guerra, o Japão era considerado "uma das cinco superpotên-

---

3. Consulte *Obras Completas: As Mensagens Espirituais de Ryuho Okawa*, volumes 8, 36 e 40, Happy Science, disponível apenas em japonês.

cias mundiais", por isso seu crescimento após o final do conflito não surgiu do nada. Os japoneses de hoje sabem apenas que o Japão foi reconstruído a partir das ruínas da guerra, e tendem a achar que foi só "após sua derrota que o país floresceu economicamente para se tornar a segunda maior economia mundial". Mas, antes da guerra, já era um dos cinco países mais fortes do mundo.

O povo trabalhou muito desde a Restauração efetuada pelo imperador Meiji, e mesmo quando analisamos o período em que estava sob o governo Tokugawa, anterior ao da Restauração, Edo (atual Tóquio) já era uma metrópole e tinha um nível cultural muito alto, dificilmente igualado por qualquer outra cidade do mundo. Houve também muitas administrações verdadeiramente admiráveis criadas pelos samurais.

A Era Heian (794-1185 d.C.) igualmente foi bem avançada para a época, permitindo o florescimento de muitas mulheres como escritoras. O mundo só foi conhecer mulheres escritoras na era moderna, mas na Era Heian o Japão já tinha inúmeras mulheres dedicadas à literatura. Elas foram pioneiras globais, e estavam mil anos à frente do seu tempo.

Além disso, por um bom período a pena capital não existiu na Era Heian. Essa é uma medida do quanto era um país bem organizado. Mesmo nos atuais países desenvolvidos, é muito difícil manter a ordem pública sem recorrer à pena de morte, mas durante a Era Heian houve um período de pelo menos trezentos anos em que "a lei do país não previa execuções capitais".

Antes disso, o budismo prosperou muito na Era Nara (710-794 d.C.). Infelizmente, o Japão do pós-guerra tende a negar tudo o que aconteceu anteriormente à sua derrota, resultando numa tendência a negar o budismo tradicional, que às vezes é visto com desprezo.

Uma exceção é o budismo da Era Kamakura (1185-1333 d.C.). Desde a Segunda Guerra Mundial, o budismo Kamakura "ganhou muito prestígio conforme se difundiu entre as massas", e passou a ser visto como "democrático". À medida que "os ensinamentos simples do budismo se espalharam entre as massas", houve a partir dessa era uma tendência a valorizar mais as organizações budistas, como as seitas Nembutsu do sistema Honganji, a escola de budismo Nichiren e a escola Soto de zen-budismo, e a desvalorizar o budismo anterior, das eras Heian e Nara.

Mas o budismo Nara contém vários ensinamentos budistas ortodoxos e é muito saudável em termos de erudição, portanto, não se trata de um ensinamento equivocado. Em comparação a ele, o budismo posterior à era Kamakura é altamente criativo e inclui novos ensinamentos, diferentes dos inicialmente ministrados por Buda. Nesse sentido, as pessoas das eras Heian e Nara eram merecedoras de muita admiração.

Além do mais, a Era Asuka (592-710 d.C.) contou com o príncipe Shotoku, que formulou a "Constituição dos Dezessete Artigos" e criou os "Doze Níveis Hierárquicos". Ele tinha uma maneira de pensar muito democrática e acreditava que "a política do país deveria ser decidida com base em amplas discussões entre os homens de estado e os cidadãos". Também defendeu muito a religiosidade e "o respeito aos Três Tesouros – Buda, Darma e Sanga –", e incorporou à política princípios espirituais, como o ensinamento de "evitar a ira e os conflitos".

Ao criar o sistema dos Doze Níveis Hierárquicos, Shotoku estruturou-o de modo que as pessoas fossem promovidas por sua competência, não por seu status social. O Japão de sua época baseava-se numa meritocracia, e foi extremamente avançado no sentido de permitir "a promoção de pessoas talentosas, mesmo que elas viessem das camadas mais baixas da sociedade".

As Qualidades das Líderes Japonesas

Além disso, na época do príncipe Shotoku, e também depois, o Japão teve várias imperatrizes; uma delas, a imperatriz Jingu, chegou a comandar o exército, além de exercer as funções de imperatriz. Assim, desde os tempos antigos, houve muitas mulheres de grande destaque no Japão. O aspecto mais admirável nas líderes japonesas é que elas raramente se envolviam em atos de crueldade, o que talvez se deva à influência da deusa da harmonia, Amaterasu-o-mikami.

Já as líderes chinesas em muitos casos agiam de modo cruel. Quando assumiam o poder político, com frequência "assassinavam nove gerações dos parentes mais próximos" de seus opositores, sacrificando "pessoas que nem sabiam estar de algum modo ligadas a eles". Assim, no país vizinho do Japão, quando as mulheres detinham o poder supremo, mostravam ter menos escrúpulos do que os homens para agir de forma brutal. Ansiavam por vingança e tinham um forte desejo de punir seus opositores, o que a meu ver revela uma diferença nas características entre as duas nações.

Parece-me que ações semelhantes também foram perpetradas na península da Coreia. No entanto, as líderes japonesas raramente agiam assim, e as mulheres que assumiam o poder com frequência buscavam a paz. O Japão era um país incomum, onde "as mulheres que o lideraram buscavam trazer a paz, embora os homens sempre provocassem intensos conflitos".

    Os ocidentais em geral não têm conhecimento suficiente da história do Japão. As mulheres japonesas, por exemplo, não são consideradas inferiores aos homens, como ocorre em muitos países ocidentais, nem têm um status social mais baixo. Devido à existência de Amaterasu-o-mikami, desde tempos remotos as mulheres sempre tiveram um status elevado e se mostraram muito capacitadas. Claro, em tempos de guerra os homens ficavam em primeiro plano, mas o Japão é um país excepcional, onde as mulheres sempre detiveram um poder considerável. Este é um fato que precisa ser conhecido.

Desenvolva uma Visão Imparcial do que É Certo ou Errado Conhecendo a História do Japão

O Japão, portanto, foi formado pelos ensinamentos de progresso e prosperidade do deus Ame-no-minaka-nushi-no-kami e pelo espírito de "harmonia" e "pureza" da deusa Amaterasu-o-mikami.

    O principal ensinamento dessa deusa é o da "mente imaculada" ou da "pureza". Ela ensina que as pessoas devem se limpar dos "pecados e da degradação por meio da purificação". Em termos budistas, isso equivaleria ao ensinamento da autorreflexão. Ela também nos ensina a "ter uma mente harmoniosa, a criar um mundo onde todos cooperem e se deem bem". Em certo sentido, isso é similar a estabelecer uma Utopia. Portanto, o Japão foi formado pela combinação desse modo de pensar com a ideia de progresso e prosperidade.

Viva Positivamente

No passado, o nível de erudição do Japão era insuficiente, portanto, o budismo foi importado e estudado com afinco, e surgiram os primeiros eruditos japoneses. Vários desses estudiosos começaram a se destacar e elevar o nível intelectual do país.

Sem dúvida, o nível intelectual do budismo Nara era bastante elevado, e, mesmo quando examinamos o budismo Heian e os livros escritos pelo famoso monge Kukai, vemos o desenvolvimento de um idealismo avançado, que mais tarde surpreendeu até mesmo filósofos do porte de Kant e Hegel. O pensamento de Kukai estava num nível muito sofisticado, tendo já alcançado um grau altíssimo de perfeição ideológica. Isso dá uma ideia de como o Japão era sofisticado como país. Portanto, acredito que o Japão e o povo japonês como um todo precisam avaliar cuidadosamente a história do país para ter uma perspectiva mais exata.

Naturalmente, o Japão também cometeu erros, mas possui muitos pontos positivos se compararmos sua história com a de outros países. O povo japonês precisa despertar para os seus valores interiores, ser capaz de afirmar com clareza "que tipo de raça, pessoa e país são" e cultivar uma identidade própria. Por exemplo, é preciso não se deixar influenciar pelas "opiniões dos meios de comunicação, dos jornais ou de outros países". Eles precisam ter uma visão correta de sua própria história, pois isso pode contribuir muito para aumentar ainda mais sua "autoconfiança".

Além de ter um bom conhecimento da história do seu próprio país, é importante conhecer a de outros países, compará-las e ter uma visão imparcial sobre o que está certo e o que está errado.

# O Japão Tem como Missão Liderar o Mundo

Reflexão sobre o Domínio Colonial

Antes dos Jogos Olímpicos de 2008, em Pequim, a questão tibetana tinha ampla cobertura da mídia. "Chegou-se a questionar se o país que havia invadido o Tibete teria o direito de sediar uma Olimpíada, pois se trata de um evento caracterizado como um ato de celebração da paz." Houve manifestações, lideradas principalmente por monges budistas tibetanos, mas o governo chinês estava determinado a sediar a Olimpíada e procurou com dificuldades contornar a situação.

O argumento da China baseava-se em que "eles não eram os únicos agressores no mundo, e que outros países haviam agido do mesmo modo. Alegaram que a Rússia também havia tomado muitas terras de outros países, que não haviam sido devolvidas, portanto a China não era o único país passível desse tipo de acusação".

Vale destacar ainda que o argumento da Rússia ao negar os pedidos do Japão para que as ilhas Curilas do Sul lhe fossem devolvidas era que os russos também haviam tomado outros territórios estrangeiros; portanto, se devolvessem as ilhas Curilas do Sul, os demais territórios também teriam que ser devolvidos.

Viva Positivamente

No entanto, há uma tendência no Japão pós-guerra de se arrepender pelos "grandes pecados cometidos pelo país no último conflito". Essa tendência é liderada pelo pessoal do jornal *Asahi Shimbun* e pelo grupo editorial Iwanami Shoten, e vem tendo há décadas o apoio dos intelectuais de esquerda.

No entanto, as potências ocidentais também foram "precursoras" do Japão, e possuíram muitas colônias. Quem colonizou a África? Foram as nações desenvolvidas da Europa. Elas dividiram a África em pedaços, como se fosse um bolo, e criaram inúmeras colônias.

Os Estados Unidos também tomaram territórios de outros países. O Havaí, por exemplo, originalmente não era americano. Como poderiam os Estados Unidos ter domínios no meio do Pacífico? Os americanos foram avançando para o oeste no continente americano e quando não restaram mais terras dos nativos indígenas para serem tomadas, atravessaram o mar e foram até o Havaí. O mesmo ocorreu em Saipan, nas ilhas Marianas. Assim, conforme os países ocidentais aumentavam seu poderio, passaram a invadir outros países, a tomar suas terras e a aumentar sua riqueza.

Sem dúvida, um país deve refletir sobre os danos e sofrimentos causados numa guerra contra outros países; no entanto, nem todos os países se arrependeram suficientemente do seu passado colonial. "Afirmar que os países ocidentais estavam certos em criar colônias, e que apenas o Japão estava errado ao fazer isso" nada mais é do que agir com discriminação.

Na última guerra, o Japão experimentou o grande sofrimento de ter várias bombas atômicas lançadas no seu território, mas na verdade "as bombas atômicas foram despejadas no Japão porque os japoneses são de uma raça diferente, por isso não houve escrúpulos em lançar uma bomba atômica sobre eles". Se os Estados Unidos tivessem jogado uma bomba atômica num país de raça branca, teriam sido duramente criticados, por isso paira a desconfiança de que a raça amarela do Japão tenha sido usada pelo Ocidente como uma espécie de cobaia de laboratório.

Depois que o Japão perdeu a guerra, as colônias ocidentais na Ásia e na África conquistaram sua independência. Criou-se no mundo uma nova tendência, que "via com maus olhos o colonialismo". Se possuir colônias continuasse a ser aceitável, então as ações do Japão também teriam de ser aceitas. "Condenar as ações do Japão" era "assumir que a política colonial do Ocidente também estava errada" e, portanto, foi então que surgiu um movimento para acabar com o colonialismo no mundo. Nesse cenário, a repentina tomada das terras do Tibete pela China após a Segunda Guerra Mundial mostrou-se contrária à tendência que condena o domínio colonial, e acabou virando um grande problema.

O Caminho da Coexistência Preserva a Autonomia de Cada País

Defendo profundamente que é uma boa coisa que cada país preserve sua política e sua cultura, e que possa existir de modo independente. Mesmo que os ensinamentos espirituais da Happy Science se espalhem pelo mundo todo, não acho correto um único governo dominar o mundo. Creio que é melhor cada país governar a si mesmo de modo independente e se desenvolver mantendo cultura e política próprias.

O ideal seria que todo mundo estudasse e seguisse os nossos ensinamentos sobre a mente e o espírito, pois são universais. No entanto, cada país deve governar a si mesmo. Nesse sentido, não é razoável tentar igualar todos os países num mesmo sistema político. Seria uma tragédia levar a igualdade a esse extremo.

Há uma lenda grega sobre "um homem que acomodava os viajantes numa cama, mas se as pernas destes eram mais compridas que a cama, ele simplesmente cortava fora o pedaço excedente". Igualar todo mundo é obviamente impossível. Cada um tem seus pontos fortes e fracos, por isso vale mais a pena escolher o caminho da coexistência e manter a singularidade de cada país.

Em termos de Japão, isso seria perfeitamente possível se os ensinamentos de progresso e prosperidade de Ame-no-minaka-nushi-no-kami fossem fundidos aos ensinamentos de harmonia de Amaterasu-o-mikami. Em outras palavras, "ainda que os indivíduos batalhem para crescer e ficar mais fortes", é importante que haja também um esforço para se "obter um todo harmonizado".

Assim, por um lado há alguns aspectos da maneira de pensar japonesa que merecem uma boa reflexão e uma reavaliação, mas, por outro lado, há muitas ideias e maneiras de pensar próprias da cultura japonesa que seriam benéficas se transmitidas como princípios para guiar todas as pessoas do mundo. Inversamente, também há vários aspectos do pensamento contemporâneo que poderiam ser incorporados à maneira de pensar dos japoneses, mas acho que o Japão também tem muitas coisas para ensinar ao mundo, e não apenas aos povos da Ásia. O que o Japão mais precisa hoje é adotar uma religião que seja reconhecida, no verdadeiro sentido da palavra, pelo mundo todo. Se o Japão realizar isso, irá inaugurar um futuro ainda mais brilhante e, sendo um país com três mil anos de história, certamente irá se tornar um verdadeiro líder mundial.

Os Estados Unidos são muito poderosos no presente momento, mas historicamente o país existe há pouco mais de duzentos anos, por isso há muitos aspectos em que ainda carece de experiência. Já o Japão abrigou várias culturas ao longo de sua história milenar. Apesar de não ser um país suficientemente conhecido em todo o planeta, acredito que tem muito a ensinar ao mundo.

A Disposição de Aceitar Desafios Desbrava o Futuro

Utilizar os "Pontos Fortes" É o Caminho Fundamental para a Vitória

Centenas de milhares de pessoas no Japão possuem seu negócio próprio, e muitas delas têm personalidade forte. Existe uma acentuada tendência na cultura dos funcionários de empresas de rejeitar esse tipo de pessoa. No entanto, os Estados Unidos não são o único país onde pessoas de forte personalidade são bem aceitas na sociedade; no Japão também as pessoas têm espaço para se desenvolver e tornar-se respeitadas na sociedade.

Os japoneses que trabalham por conta própria têm personalidade forte, e na realidade quase 90% dos negócios no país são independentes. Apenas as grandes empresas possuem uma cultura tradicional samurai, como a daquelas pessoas que trabalhavam nos castelos de antigamente.

Portanto, embora apostando firmemente numa personalidade forte, devemos encontrar uma forma de cooperar e de voltar nossos esforços para uma meta comum, a fim de duplicar, triplicar ou mesmo quadruplicar nossa força.

É importante reconhecer que "as outras pessoas têm qualidades que podem estar ausentes em nós". Todos temos pontos fortes, e devemos crescer apoiados neles e desenvolvê-

-los ainda mais; caso contrário, não seremos bem-sucedidos, não conseguiremos nos aperfeiçoar nem alcançar a vitória.

Quais são seus pontos fortes? Para vencer na vida, você precisa empregar suas maiores aptidões. Nunca vencerá uma batalha se lutar apoiado em suas fragilidades. Por exemplo, não faz nenhum sentido eu correr uma maratona de revezamento. Isso só serviria para desmerecer o nome da Happy Science. A única coisa que eu conseguiria seria "a fama de ser um corredor incrivelmente lento". Por isso, cada pessoa deve enfrentar suas batalhas apoiada em seus pontos fortes. Todos devem adotar essa postura básica.

Porém, se as pessoas viverem apenas como indivíduos separados, isso não irá produzir uma "obra de arte" coletiva. Para tornar a vida uma obra de arte, é importante que cada um trabalhe buscando uma meta compartilhada, como numa organização ou sociedade, ao mesmo tempo que desenvolve uma individualidade forte. As pessoas devem aproveitar ao máximo seus pontos fortes e ao mesmo tempo trabalhar para o crescimento de sua organização ou sociedade. Se você costuma criticar as fraquezas ou os erros dos outros a partir desse local privilegiado que é constituído pelos seus pontos fortes, deve mudar isso.

A Felicidade Não É Obtida por Aqueles Que Tentam Prejudicar os Outros

Assim como a igualdade japonesa se torna prejudicial quando impede alguém de se destacar, se você perceber que está tentando "evitar o sucesso de outra pessoa", precisa mudar de atitude. "Se cada pessoa se desenvolver e crescer o máximo possível, isso será bom para todos."

Se você encarar seus pontos fortes de maneira positiva, também verá o crescimento pessoal dos demais com bons olhos. Precisamos encontrar espaço suficiente em nosso coração para defender qualquer pessoa que esteja sendo menosprezada pelos demais à sua volta, e "procurar apontar os pontos positivos que essa pessoa tiver".

A Diferença entre as Crianças Otimistas e Aquelas Que Pensam Negativamente

Há um aspecto que eu gostaria de mencionar com relação aos jovens. Os professores naturalmente gostam de crianças que tiram boas notas nas provas. Em geral, em nossa sociedade, quando uma criança tira boas notas vai para uma faculdade de prestígio, consegue emprego numa boa empresa e obtém várias promoções, deixando os pais satisfeitos.

Esse tipo de pensamento aponta na direção certa. Se as crianças não forem incentivadas a estudar, suas notas serão cada vez piores. Se "um sistema escolar menos severo leva as crianças a negligenciarem seus estudos" e faz cair o nível geral de conhecimento, ele não é uma boa opção, portanto concordo que é melhor seguir nesta direção de fazer as crianças se dedicarem bastante aos estudos.

Mesmo assim, há um aspecto negativo na maneira atual de encarar a educação: é que quanto mais os alunos se saem bem nos estudos, mais tendem a pensar de "modo negativo". Como pai, talvez você já tenha passado pela experiência a seguir. No período de provas, quando os pais perguntam aos filhos "Como foi na prova?", alguns respondem "Fui bem". Mas quando o filho traz o boletim para casa uma semana depois, você descobre que ele tirou só 5,5.

Os pais podem pensar: "Como ele pode achar que foi bem se a nota dele foi 5,5? Isso não é 'ir bem'. No meu tempo, para ir bem a gente precisava tirar pelo menos 8". Ao considerar que 5,5 é "ir bem", o filho queria dizer que acertou mais do que errou. Ou seja, ele encara isso como ir bem, mas nem o professor nem os pais vão ficar satisfeitos com essa nota.

Por outro lado, há crianças que respondem: "Não fui muito bem. Errei algumas questões". Só que quando sai a nota você vê que foi um 8 ou 9. Os estudantes mais aplicados conseguem responder à maioria das questões de uma prova, e por isso lembram claramente aquelas em que tiveram dificuldades. "Sabem exatamente que erros cometeram", por isso, quando erram questões que eles sabiam ser capazes de acertar, "sentem que não tiveram um bom desempenho".

Os pais acreditaram que "o filho de fato foi mal, afinal foi isso que ele afirmou", mas na realidade os resultados não foram ruins. O que acontece é que a questão era de fato difícil, ou capciosa, mas a nota acabou não sendo tão ruim quanto a criança imaginou.

Portanto, há dois tipos de alunos. Mas, independentemente de a criança ver as coisas de modo negativo ou positivo, os bons resultados são sempre admirados na escola.

As Pessoas São Avaliadas de Modo Totalmente Diferente na Escola e na Vida Adulta

Crianças muito estudiosas tendem a subestimar seu desempenho nas provas; elas não querem desapontar os pais dizendo que "foram bem" para depois decepcioná-los quando virem que a nota não foi tão boa como esperavam. Quando elas já

Viva Positivamente

dizem de antemão que "não foram muito bem" e que "cometeram erros", se conseguirem de fato tirar boas notas "todo mundo ficará feliz com a notícia". Isso será um alívio para elas, e é por isso que elas tendem a subestimar sua real capacidade.

Em geral essas crianças são consideradas modestas, e enquanto ainda estão na escola são bastante respeitadas. No entanto, precisam tomar cuidado para não continuar agindo assim, pois na vida adulta essa tendência pode acarretar uma avaliação totalmente oposta.

As crianças que veem as coisas de uma forma negativa, como as que dizem que foram mal na prova e depois acabam tirando 9,5, costumam ser boas em detalhes e em precisão, por isso quando vão trabalhar numa empresa mostram-se confiáveis e desempenham bem seu trabalho. Tornam-se pessoas que dificilmente cometem erros e que são valorizadas pelo seu empenho e capacidade como subordinadas, e elogiadas em grandes companhias e bancos, onde a confiabilidade é muito valorizada.

Porém, esses indivíduos não têm um bom perfil como empreendedores independentes. Pessoas que prezam muito a precisão e os detalhes são importantes para as grandes organizações, que só conseguem se manter quando contam com um bom número de funcionários desse tipo. Mas a maioria delas não é adequada para trabalhar em situações em que se exigem "o desenvolvimento e a execução de novos projetos".

Já as crianças que voltam felizes para casa dizendo que "foram bem" numa prova e depois acabam tirando apenas 5,5 podem, surpreendentemente, ser muito valorizadas mais tarde no mundo adulto. "Quem fica feliz por ter acertado mais da metade provavelmente será alguém que não vai se abater com maus resultados e estará sempre pronto a tentar de novo". Essas crianças acabam virando adultos aptos para trabalhos que exijam muita individualidade, como empreendedores ou artistas, por exemplo.

Os Otimistas e Automotivadores Têm Melhor Perfil para Liderar

Aqueles que estão sempre de bom humor, mesmo quando objetivamente vivem uma situação ruim, podem parecer pouco refinados aos olhos de pessoas mais estudiosas. Eles se mostram "otimistas, não se abatem com eventuais fracassos, têm mentes inquietas e estão sempre de bom humor".

Porém, quando se trata de ser empreendedor, numa escala menor, em empresas que começam com algumas dezenas de empregados para ir crescendo aos poucos, são esses "tipos alegres" que se tornam os melhores líderes. Na realidade, é mais fácil para as pessoas seguirem alguém que é capaz de "encarar 5,5 como um sucesso", já que é algo que equivale a ter mais acertos do que erros.

Em contrapartida, é muito difícil trabalhar sob o comando de um superior hierárquico que acha "inaceitável uma porcentagem de apenas 5% de erros" e se enraivece por qualquer coisa. Esse tipo de administrador receberá todo ano muitas cartas de demissão de seus funcionários. Quando ele culpa seus subordinados dizendo: "Eu consigo fazer isso, então por que você não consegue?", acaba fazendo com que se recusem a aceitá-lo como líder.

"Alguns pintores, por exemplo, são muito bons pintando e desenhando, mas incapazes de ensinar isso aos outros." E também há "fotógrafos com trabalhos excelentes, mas que não conseguem transmitir seu conhecimento". Tais pessoas "tendem a julgar os outros" com excessiva severidade, e a considerar todo mundo incapaz.

Portanto, nem tudo está perdido para esse tipo de criança otimista, que acaba tendo notas piores do que esperava e vai mal em provas nas quais tinha "certeza de ter ido bem". Não se deve perder as esperanças nessas crianças, pois algumas se tornarão empreendedores ou se destacarão por assumir novos desafios a partir de sua forte individualidade.

Mesmo que obtenham más notas, as crianças capazes de incentivar a si mesmas serão particularmente promissoras. Uma criança que diz: "Vou tentar fazer melhor" ou "Vou caprichar mais da próxima oportunidade, deixe comigo", avançará na vida sem causar problemas a seus pais.

Crianças otimistas e capazes de se automotivar permitem alimentar boas expectativas. Mesmo que não se destaquem nos estudos, seus pais devem reconhecer que "elas realmente têm aspectos positivos". Podem se tornar pessoas aptas a liderar e tendem a ser bem-sucedidas.

Um Líder Precisa Ter uma "Grande Capacidade"

Um verdadeiro líder não precisa ser muito detalhista e exato. Quando a pessoa no alto da cadeia de comando é meticulosa demais, ela inibe seus subordinados, torna mais difícil para eles tomar decisões. Quando tem uma perspectiva um pouco mais ampla, traça objetivos mais gerais e deixa o trabalho por conta de seus subordinados, isso faz com que estes tenham mais iniciativa.

É bom trabalhar com um líder que tem facilidade em delegar trabalho dizendo, por exemplo, "Eu assumo a responsabilidade, faça como você achar mais adequado. Tudo bem, desde que você vá nessa direção e siga mais ou menos tais e tais diretrizes. Posso tolerar certo grau de fracasso, por isso faça o melhor que puder". Empresas que trabalham desse modo prosperam e crescem.

Pessoas com maior inclinação artística são bastante suscetíveis mentalmente e não toleram ser subestimadas. Portanto, mesmo que pareçam "um pouco excêntricas", é bom "tentar ver essa excentricidade como um sinal de seu talento". Pessoas com aptidão artística, como músicos, atores e pintores, são muito sensíveis a críticas, por isso com elas você terá de escolher muito bem as palavras.

É bom ter consciência de que "a maneira como somos avaliados quando crianças difere muito da avaliação que fazem de nós quando ficamos adultos". Muitas vezes, crianças que apresentam um comportamento negligente revelam-se depois indivíduos com "um enorme coração".

Líderes naturais às vezes também emergem da chamada "nata da classe". No entanto, de modo bem geral, pessoas muito estudiosas não costumam errar em questões menores, mas surpreendentemente cometem muitos erros nas grandes decisões.

Isso ocorre porque tais pessoas são boas em aprender com os erros do passado, mas ficam sem referência diante do desconhecido, não sabem lidar bem com ele. Lidar com o desconhecido requer certa dose de imprudência, no sentido positivo desse termo, e que a pessoa assuma responsabilidade mesmo por aquilo que desconhece. Portanto, pessoas que têm um espírito mais destemido, que estão preparadas para assumir responsabilidades e têm "a força necessária para se recuperar das derrotas" funcionam melhor como líderes.

Viva Positivamente

O Caminho para o Sucesso Passa pelo "Acúmulo de Fracassos"

Na realidade, é mais seguro confiar em pessoas que já experimentaram vários fracassos e contratempos quando jovens. Sob vários aspectos, é arriscado confiar uma grande empresa ou atividade política a alguém que nunca experimentou um fracasso ou um grande revés. Pessoas assim com frequência são muito convencidas e estão simplesmente à procura de oportunidades para serem elogiadas. Em muitos casos, "não têm a competência necessária para julgar as situações de modo preciso".

Como dizem alguns, "Os jovens amadurecem lutando contra as adversidades". E quando se trata de comandar algum negócio, também, se você quiser alcançar grande sucesso como administrador, precisa ter experimentado anteriormente um fracasso real.

Alguns fracassos devem-se a circunstâncias inevitáveis, mas é importante estar habituado a "assumir desafios e ter a experiência do fracasso". Claro, não é preciso chegar ao limite de enfrentar uma ruína completa, mas se você continua enfrentando desafios de maneira positiva e tendo a experiência de acumular alguns fracassos, isso o colocará no caminho do sucesso.

"Não ter falhado nunca" é a mesma coisa que "nunca ter aceitado desafios".

Muitas organizações do futuro irão nascer durante os séculos 21 e 22, e sejam elas empresas de médio ou pequeno porte ou empreendimentos que irão virar imensas corporações, todas elas serão o resultado de uma trajetória de pessoas desafiadoras.

Aqueles que aceitam desafios em geral não são o tipo de pessoa que aspira entrar numa das "grandes empresas atuais". Costumam ser pessoas individualistas, e mesmo quando entram numa grande empresa acabam pedindo demissão. Sua forte personalidade faz com que entrem em conflito com seus superiores ou com a organização.

Crianças muito individualistas tendem a ser críticas de si mesmas, por isso gostaria de aconselhar os pais a incentivarem mais essas crianças. Se achar que seu filho tem potencial, deve dizer: "Você não é o tipo de pessoa ideal para trabalhar numa grande empresa" e incentivá-lo a encontrar "seu próprio caminho". Os pais devem dizer: "É importante que você escolha o caminho que mais gosta e crie sua própria trajetória. É isso o que grandes homens e mulheres fizeram". Além disso, na minha opinião, aqueles que assumem trabalhos que ninguém mais quer fazer demonstram ter muitas qualidades. Por favor, valorize esse tipo de pessoa.

A fim de se desenvolver, as pessoas passam por várias experiências, seja uma doença séria, uma decepção amorosa, desemprego ou falência. Até mesmo a experiência de ir preso pode se tornar útil. Houve casos de pessoas que foram presas, depois seguiram seu caminho e acabaram ocupando cargos de destaque, como o de presidente de um país ou de alguma grande organização.

Se você tem um talento especial, é provável que seja odiado e alvo de perseguições, e na nossa sociedade o que é visto como certo e errado muda de tempos em tempos. Isso vale também para a religião. Nem todas as religiões que foram suprimidas no passado eram necessariamente incorretas. Algumas das que foram perseguidas ainda existem hoje como correntes religiosas importantes.

No passado, os governos, é claro, eram cúmplices na perseguição de religiões por parte das autoridades ou da polícia, e a meu ver algumas religiões foram perseguidas injustamente.

Com exceção de alguns cultos do tipo "Aum", acho que foi indevida a eliminação de religiões como a Tenri-kyo, Kurozumi-kyo, Oomoto-kyo e outras que ainda remanescem hoje por causa das diferenças de opinião, ou ao fato de as autoridades serem incapazes de compreendê-las. Um crescimento muito rápido também faz uma religião parecer suspeita, por isso geralmente ela passa a ser atacada.

Como "Ficar Imune" a Fracassos, Contratempos, Dificuldades e Sofrimentos

Neste capítulo, estou tratando da questão de como "viver positivamente", e quero enfatizar sobretudo a importância de "se tornar imune ao fracasso e aos contratempos".

Do mesmo modo que desenvolvemos "imunidade" a doenças, quero que você também crie uma resistência a fracassos, contratempos, dificuldades e sofrimentos. Por favor, faça o melhor possível para adotar uma atitude que lhe permita ficar imune a essas experiências. Isso fortalecerá muito seu caráter. E é importante criar seus próprios "anticorpos" depois de fracassar pela segunda ou terceira vez.

Claro, não é bom acabar se habituando ao fracasso, mas é preciso desenvolver uma resistência, de modo que, mesmo diante de uma pequena falha, a pessoa consiga ter força para superar a situação se ela vier a se apresentar de novo. Gostaria que tanto pais quanto filhos desenvolvessem uma forte resistência a fracassos e contratempos.

As Leis do Futuro

Contribua Para a Sociedade e ao Mesmo Tempo Expresse Sua Forte Individualidade

Faça o possível para expandir sua forte personalidade, em vez de deixá-la de lado ou sufocá-la. Com certeza, dentro da sua forte personalidade encontraremos muitos aspectos atraentes e pontos positivos. A sociedade japonesa tende a abafar a individualidade, mas meu desejo é que todos desenvolvam uma personalidade cada vez mais forte e escolham o caminho do sucesso.

Ao mesmo tempo, as pessoas devem cooperar umas com as outras, ajudar-se mutuamente e pensar sempre em "maneiras de contribuir para a sociedade, levando felicidade ao maior número possível de pessoas". É preciso uma atitude desse tipo para não atrapalhar o sucesso dos outros.

Quanto mais você tiver sucesso por meio da força da sua personalidade, mais importante será oferecer "apoio aos outros, mesmo anonimamente, para que possam também encontrar seu caminho de sucesso", e também cultivar o desejo de nutrir e de guiar as pessoas. É preciso adotar uma atitude de "compartilhar a felicidade e o sucesso".

Uma das formas de compartilhar felicidade e sucesso é ensinar as pessoas de sua própria área de negócios, assim como as de outras áreas, expondo seus pontos de vista sobre a vida e os negócios, e também orientar pessoas jovens, além daquelas que tenham laços de parentesco com você.

Enquanto procura a própria felicidade, é importante pensar também em "levar felicidade e prosperidade aos outros", e continuar trabalhando intensamente nesse sentido.

Isso conclui o que eu queria dizer sobre "Viver Positivamente".

Capítulo Quatro

O Poder de Criar o Futuro

Abra Caminho para uma Nova Era

O Poder de Criar o Futuro

1

O Sucesso na Divulgação

Transmissão ao Vivo para Milhões de Pessoas

Em junho de 2012, fui fazer um trabalho de divulgação de ensinamentos espirituais em Uganda, na África central, ministrando em inglês a palestra "A Luz da Nova Esperança". Ao voltarmos ao Japão, os membros da equipe da Happy Science e eu ficamos impressionados com as "diferenças" entre as duas nações. Embora façamos parte do mesmo mundo, parece haver um lapso de tempo entre nossas civilizações, e isso nos causou um choque cultural.

Quando retorno de visitas a outros países, algumas vezes acho o Japão incrível, outras vezes, não. Desta feita, pela primeira vez em muito tempo, fiquei admirado com "a excelência das rodovias japonesas", mas, por outro lado, senti também que o Japão é um país muito diferente.

A palestra em Uganda foi realizada no maior estádio do país. Três emissoras de televisão transmitiram-na, inclusive a tevê nacional, além de outras partes de nosso programa, por cerca de uma hora. Ademais, 150 ônibus que deveriam trazer pessoas de várias partes do país não conseguiram chegar a tempo, por isso foi retransmitida para o público dessas regiões. Fui informado de que, dos 33 milhões de pessoas de Uganda, 8 milhões assistiram à minha palestra. Ela também foi exibida pela única tevê do sul do Sudão, e por emissoras de vários outros países.

Embora esta apresentação em especial tivesse ocupado uma semana inteira da minha agenda, creio que foi vista por 10 a 20 milhões de pessoas. Após o encontro, membros locais da Happy Science viajaram a diversas partes do país e exibiram a gravação da palestra várias vezes, e mais pessoas conseguiram assisti-la. Fiquei muito feliz com isso.

Já ministrei palestras na América do Norte e na América do Sul, na Eurásia e na Austrália; com esta visita à África em 2012, concluí minha turnê de palestras pelos "cinco continentes". É maravilhoso ver que, "31 anos após atingir a Grande Iluminação e 26 anos depois da criação do movimento da Happy Science e do início das nossas atividades como organização, foi possível realizar uma palestra na África e ela ter sido transmitida ao vivo". Sinto também uma alegria imensa ao ver que nossos ensinamentos estão se expandindo pelo mundo todo e sendo bem aceitos.

Quando dou palestras apenas no Japão, percebo que o público normalmente ainda encara "a religião como uma força menor, e as palestras de cunho espiritualista como eventos frequentados apenas por um punhado de pessoas fora do comum, esquisitas ou infelizes".

Mas em Uganda as emissoras de televisão comerciais e a do governo exibiram a palestra ao vivo, apesar de ser minha primeira visita ao país. Fiquei feliz com o grau de confiança depositado em mim. E como a apresentação ocorreu num palco ao ar livre, fiquei surpreso também por ela ter sido transmitida ao vivo, apesar de estar chovendo.

No exterior, os ensinamentos da Happy Science são aceitos em países cristãos, budistas e até muçulmanos. Também há muitas pessoas em países considerados ateus que ficam profundamente emocionadas com minhas palestras e vêm se juntando a nós. Isso me faz pensar que talvez a Happy Science esteja sediada no país do mundo que tem menos fé. Nesse sentido, embora achemos normal a receptividade a nossas atividades no Japão, na realidade talvez ela não seja tão normal assim.

Os Filmes da Happy Science Levam Iluminação Espiritual ao Japão e ao Mundo

Enquanto visitava a África, o filme *O Julgamento Final* (produzido por Ryuho Okawa) estreava nos cinemas japoneses. À parte as críticas especializadas e os resultados de bilheteria, foi um fato marcante que durante junho e julho de 2012 tenha sido exibido no país um filme sobre as profecias envolvendo a invasão do território japonês que mostra como deve ser a integração e a colaboração entre a política e a religião. Seu impacto sem dúvida ainda irá se ampliar com o tempo.

Exatamente nesta época, os jornais e outros órgãos da mídia faziam ampla cobertura das "disputas entre o governo de Tóquio e o governo japonês pela compra das ilhas Senkaku". Também nessa época, pela primeira vez em 42 anos, foi realizada uma sessão de treinamento com algumas dezenas de membros da Força de Autodefesa marchando em uniforme de combate por um bairro de Tóquio. Isso indica que o consenso nacional no país está mudando.

Basta mencionar a guerra ou defesa nacional no Japão para que as pessoas o chamem de militarista. No entanto, pelos padrões globais, defender o próprio país não implica uma postura militarista. Todos os países buscam proteger-se e cuidar da "defesa nacional" e isso não tem nada de militarismo, é simples bom senso.

Uma nação que não defenda a si mesma não tem absolutamente direito de cobrar impostos de seus cidadãos. Defesa nacional e militarismo são coisas completamente diferentes, e como o Japão é a única superpotência que ainda não foi capaz de distinguir entre esses dois conceitos, eu no momento venho trabalhando também para mudar a noção que os japoneses têm dessa questão.

Nenhum outro país do mundo acha errado cuidar da própria defesa. Apenas regiões autônomas, que já foram colonizadas, são levadas a pensar que a defesa nacional é um erro. Regiões autônomas de vários países seguem essa linha, só que a meu ver não há absolutamente nada de errado no fato de um país independente cuidar da própria defesa.

Por isso estamos usando recursos como o filme profético *O Julgamento Final* para despertar a consciência sobre a importância da defesa nacional. Gostaria muito que as pessoas compreendessem que "a defesa nacional faz parte da soberania de uma nação e não é o mesmo que militarismo".

Para o Estado, a defesa nacional é uma questão de "soberania" e, para o povo, uma questão ligada aos seus "direitos de cidadania". *O Julgamento Final* é um filme que tem a intenção de informar ao povo japonês, torná-lo consciente do que é verdadeiro segundo os padrões globais.

Em 2012, disparamos dois "tiros": um com o filme de ação ao vivo *O Julgamento Final* e outro com o filme de animação *As Leis Místicas* (também produzido por Ryuho Okawa). Os dois tipos de filme atraem plateias diferentes, mas cada um deles irá estimular muitas pessoas a mudar sua maneira de pensar, e, como resultado, acredito que haverá uma mudança na opinião pública. Ficarei feliz se pudermos prestar esse serviço ao mundo.

Como Ser Bem-sucedido

Os Pensamentos Sempre Vêm Primeiro

A fim de poder criar o futuro, procuro sempre apresentar assuntos novos para estimular as pessoas a mudar seu modo de pensar. É fundamental desenvolvermos "a capacidade de visualizar o futuro com maior clareza".

Você, que está lendo este livro, precisa ser capaz de transmitir sua visão do futuro. Não é bom continuar focado no passado ou se acomodar com o estado de coisas atual. Se começarmos a pensar sobre "o que devemos fazer em seguida", o futuro com certeza irá mudar. Este capítulo ensina os "pontos-chave para a criação do futuro e os aspectos que são os pontos de partida da vontade de criar o futuro".

O primeiro ponto que gostaria de ressaltar é que "os pensamentos sempre precedem os acontecimentos". "Se você imagina como quer ser no futuro", esses pensamentos irão produzir frutos daqui a alguns anos ou décadas. Esse é um fato inegável, lembre-se disso.

No início deste capítulo falei sobre minha palestra em Uganda. Eu não preparo roteiros para as apresentações. Costumo transmitir o que me vem à mente na hora. Acho que sou o primeiro japonês na história a dar uma palestra em inglês transmitida ao vivo e assistida por milhões de pessoas.

Fiquei pensando nas razões desse sucesso. Quando eu tinha uns vinte anos de idade, li muitos livros de pessoas que haviam sido ativas no passado, e na época guardei sobretudo o nome de três escritores japoneses: Tenshin Okakura, Inazo Nitobe e Daisetsu Suzuki.

Tenshin Okakura escreveu em inglês *O Livro do Chá*, que deu a conhecer ao mundo inteiro a arte da cerimônia do chá. Inazo Nitobe foi subsecretário-geral das Nações Unidas. Um estrangeiro uma vez perguntou-lhe: "Não existem religiões no Japão?" e na hora ele não conseguiu dar uma boa resposta. Então, decidiu escrever um livro em inglês, *Bushidô: A Alma do Samurai*, para mostrar que o Japão tinha uma coisa chamada *bushidô*, que era seguida como se fosse uma religião. Isso foi há mais de cem anos. Ele se expressava em inglês em suas declarações oficiais e também em várias outras ocasiões, e o livro tornou-se um best-seller mundial.

O terceiro nome é Daisetsu Suzuki, que divulgou o zen-budismo japonês para o resto do mundo. Ele escreveu livros e deu palestras também em inglês. Não sei se chegava a falar muito em suas palestras sobre o "zen", já que não devia se inclinar à expressão verbal depois que se iniciou na prática de meditação, ou quem sabe dava palestras curtas; nunca ouvi uma palestra dele na época, por isso não sei dizer, mas de qualquer modo fazia seus pronunciamentos em inglês e divulgou muito a prática do zen-budismo.

Pelo que soube, tanto Inazo Nitobe quanto Daisetsu Suzuki tinham esposas americanas, cuja língua-mãe era o inglês, portanto tiveram melhores condições pois "podiam falar inglês em casa e contar com a ajuda da esposa em seus manuscritos em inglês".

Esses três homens ficaram famosos entre os japoneses como "mestres do inglês". Quando eu era jovem, dizia-se que "embora a guerra já tivesse acabado há tempos, nenhum japonês havia, desde então, exposto ideias e filosofias japonesas a outros países em inglês ou escrito algum best-seller nessa língua".

Lembro-me de que trinta anos atrás ficava pensando que "queria ser como eles". Isso agora se realizou, e vejo-me fazendo um trabalho similar ao deles. Por exemplo, estou tentando ir além do âmbito da religião e atuar como ponte entre os cinco continentes. Além disso, embora possa parecer um pouco pretensioso, estou trabalhando no nível diplomático para transcender a estratégia nacional e fazer pressão quanto a determinados assuntos que deveriam ser tratados formalmente pelo Japão enquanto país.

Como podemos ver, é essencial que primeiro se forme "o pensamento". Só que, como leva algum tempo para que os pensamentos de fato se manifestem, "o que você fizer até chegar esse momento" será extremamente importante.

O Sucesso É Influenciado pelas "Aspirações" e pela "Inteligência"

Obviamente, alguém poderá afirmar que as pessoas bem-sucedidas tiveram sucesso porque simplesmente foram mais hábeis ou "inteligentes", mas essa é uma conclusão tirada com base numa retrospectiva dos fatos. É como constatar que alguém é muito influente e deduzir que "deve ter sido muito hábil". Sem dúvida, mas por outro lado qualquer pessoa influente deve ter tido diversos colegas igualmente hábeis, que não chegaram a ser influentes como ela.

Por exemplo, na Era Meiji havia muitas pessoas que já haviam visitado o Ocidente e eram capazes de falar, ler e compreender línguas estrangeiras como o inglês e o alemão.

Mesmo assim, eram bem mais raras as pessoas que desempenhavam de fato um papel internacional ativo.

Mesmo hoje, embora um número imenso de pessoas trabalhe na comunidade internacional, é muito difícil encontrar alguém que seja "realmente reconhecido em todo o mundo". Nesse sentido, precisamos estar cientes de que não se trata só de uma questão de nível de "erudição" ou de "inteligência". O mais importante são as metas ou objetivos da pessoa; o sucesso dela "depende muito de suas aspirações".

Desviando um pouco da questão do inglês, a sonda interplanetária *Hayabusa* coletou amostras minerais do asteroide Itokawa e retornou à Terra em 2010. Esse asteroide recebeu o nome do falecido Hideo Itokawa, conhecido no Japão como Doutor Foguete.

Quando eu era jovem, o professor Itokawa ainda desfrutava de boa saúde e publicava seus escritos. Na sua mocidade, ele trabalhou no projeto do *Hayabusa* ou "Falcão", um avião de combate utilizado na Segunda Guerra Mundial, e foi um homem muito capacitado.

No entanto, em seu livro *Dokuso-ryoku* [Poderes Criativos], o professor Itokawa, pioneiro da pesquisa de foguetes no Japão, escreveu o seguinte: "O crítico Daizo Kusayanagi foi muito gentil ao comentar que tenho uma mente brilhante, mas não acredito nisso. Quando fiz os exames para o ginasial, não consegui nota suficiente para entrar nas duas primeiras escolas de minha preferência, e só consegui me matricular na minha terceira opção. No exame para o colegial, no sistema educacional antigo, só consegui ser aprovado na quarta tentativa. Quando prestei exame para a universidade, perguntei: 'Qual é o curso mais difícil na Universidade de Tóquio hoje?' e me disseram que era o curso de Aeronáutica da

Faculdade de Engenharia. Mesmo tendo estudado muito e conseguido me matricular nesse curso, se levar em conta o meu desempenho nos exames para o ginásio e o colegial, com certeza não posso ser considerado um estudante brilhante".

Itokawa citou, então, duas pessoas consideradas muito "inteligentes" quando jovens, mas que não tiveram uma trajetória de sucesso: "Um dos meus colegas de ginásio tinha uma memória genial. Todo dia ele arrancava duas páginas de um dicionário de inglês, trazia para a escola e memorizava todas as palavras em inglês da frente e do verso. Quando a aula terminava, ele fazia uma bolinha de papel com essas páginas e as jogava no cesto de lixo. Eu achava isso incrível, mas não tinha essa capacidade de memorizar quatro páginas de palavras em inglês todo dia.

Tido como 'gênio', completou o ginasial em apenas quatro anos (no sistema antigo, o ginásio era feito em cinco anos) e no seu primeiro ano de colegial já entrou no que é hoje a Faculdade de Artes e Ciências da Universidade de Tóquio. Sem dúvida, era um gênio. Só que não tenho a menor ideia do que aconteceu com ele depois. Acho que era muito mais hábil que eu, mas sumiu sem deixar vestígios".

A outra pessoa que o professor Itokawa mencionou era alguém que ele conheceu na universidade. Naquela época era muito difícil entrar no curso de Engenharia Aeronáutica. Tão difícil quanto entrar hoje no curso de Ciências da Faculdade de Medicina, ou talvez mais. "Muitos alunos do Departamento de Aeronáutica levaram dez anos para conseguir entrar, e houve uma época em que a idade média dos calouros era superior a trinta anos, mas houve alguém que entrou com apenas dezoito. Seus colegas o chamavam de 'gênio', e eu também o achava muito inteligente.

As Leis do Futuro

Naquele tempo, os alunos faziam anotações com uma pena de escrever, que era mergulhada num frasco de tinta. Sentei-me por acaso na carteira ao lado dele e um dia pedi sua tinta emprestada, pois havia esquecido meu frasco. Ele disse: 'Você vai ter de me pagar dobrado'. Achei que estivesse brincando, mas depois disso ele passou a fazer suas anotações usando a tinta do meu frasco. 'Eu sabia que entrar na Universidade de Tóquio com apenas dezoito anos era um grande feito, mas via também que ele era um rapaz mesquinho e esquisito'. Depois, simplesmente sumiu e nunca tivemos notícia de que houvesse arrumado emprego ou estivesse trabalhando em algum lugar".

O professor Itokawa escreveu ainda: "A partir desses dois exemplos, não acho de forma alguma que ser inteligente quando jovem seja um pré-requisito para o sucesso". Também comentou: "Eu mesmo precisei trabalhar duro depois de entrar na universidade, mas, como já havia ido mal nos meus exames para o ginásio e o colégio, sabia que não tinha o melhor dos intelectos. Criei o avião Falcão quando era jovem, e depois fiquei famoso como Doutor Foguete, então é provável que os outros me achem inteligente, e em termos objetivos acho que isso talvez corresponda à verdade, mas com certeza não fui alguém muito brilhante".

Como se Tornar uma Pessoa Criativa

O professor Itokawa identifica como fórmula do sucesso três condições, fundamentais para se tornar uma pessoa criativa.

A primeira é "a persistência". Ele diz que "pessoas sem persistência não conseguem ser bem-sucedidas". Nas áreas de humanas é preciso um esforço contínuo para atingir um determinado nível, e em ciências você precisa fazer inúmeras experiências e observações em suas pesquisas até conseguir algum resultado positivo. Portanto, a primeira condição importante é a persistência.

A segunda é "a aprendizagem contínua". Ele escreve que "continuar aprendendo é fundamental para alcançar sucesso". Existem algumas habilidades e conhecimentos que vão enfraquecendo com o tempo, por isso é importante manter-se sempre aprendendo coisas novas.

A terceira é "fazer contato e conhecer pessoas". Mesmo que você seja persistente e brilhante nos estudos, só terá influência e será bem-sucedido se os resultados de seus estudos tiverem ampla divulgação na sociedade.

O que ele chama de "encontro com pessoas" talvez corresponda ao que hoje chamamos de "marketing". Você não estará fazendo um bom trabalho a não ser que ofereça algo que vá ao encontro das necessidades das pessoas. Para isso, as pessoas precisam ficar sabendo o que foi que você estudou, inventou ou descobriu. Portanto, você precisa fazer contato e conhecer outras pessoas. Só assim você poderá dar a conhecer e divulgar amplamente seu trabalho. Se você for alguém necessário ao mundo e apoiado por muitas pessoas, irá inevitavelmente ao encontro do sucesso.

A Happy Science Está Criando uma "Nova Era"

Descobrir e Criar Necessidades

O professor Itokawa fala em "persistência", "aprendizagem contínua" e "encontro com pessoas" como sendo os três segredos para o sucesso, e concordo com ele. Talvez o "contato com outras pessoas" seja como o nosso marketing e, expandindo a ideia, equivaleria à "descoberta de necessidades". Significa "inventar e oferecer algo necessário ao mundo".

Há um outro estágio desse processo. Konosuke Matsushita afirma que: "Você precisa criar necessidades, não apenas descobri-las. Não basta simplesmente descobrir o que o cliente quer e oferecê-lo. Você precisa chegar ao ponto de criar clientes e inspirá-los com necessidades".

Além disso, creio que ainda há um estágio posterior. Não se trata apenas de encontrar ou criar clientes, mas de criar uma nova era e inaugurar um caminho para um grande número de pessoas seguirem. Itokawa falou da importância do "encontro com pessoas", mas, se examinarmos o desenvolvimento da sonda interplanetária *Hayabusa*, podemos ver que não se tratava apenas de uma questão de contatar pessoas ou de marketing. Seu sucesso não pode ser explicado apenas por contatos e marketing. Esse trabalho sem dúvida foi feito com a intenção de criar o futuro.

O Poder de Criar o Futuro

Se Puder Antecipar o Futuro, as Pessoas Começarão a Segui-lo

Assim, devemos pensar em criar uma nova era, que será seguida por muitos. A Happy Science é boa nesse aspecto, e tanto o momento atual como a nossa era presente estão começando a seguir os passos da Happy Science. Muitas pessoas podem testemunhar isso. Tanto o Japão quanto o mundo estão na realidade começando a seguir nossos ensinamentos e orientações, o que me deixa muito feliz.

Por exemplo, nas eleições para a Câmara dos Deputados em 2009 no Japão, o Partido da Realização da Felicidade defendeu políticas que contradiziam totalmente a opinião pública da época e conseguiu menos de 2% dos votos. Isso é mostrado no nosso filme *O Julgamento Final*.

Naquela época, a administração Hatoyama do Partido Democrático do Japão (PDJ), que defendia políticas opostas às nossas, assumiu o poder com 70% dos votos. Porém, essas políticas fracassaram apenas três anos mais tarde. Se considerarmos isso como um experimento com a sociedade, a proposta do PDJ errou o alvo completamente.

Não creio que nas próximas eleições alguém se disponha sequer a ler as propostas desse partido. Ninguém mais acreditará em seu programa político, a não ser que se acrescente no final dele uma observação dizendo: "O oposto dessas políticas é que corresponde à verdade; por isso, ao ler este documento, por favor vire-o de cabeça para baixo". É quase impossível um programa político estar todo equivocado. Em geral, pelo menos um ou dois pontos costumam estar corretos. Ou seja, foi impressionante que o PDJ tenha conseguido produzir algo 100% fora de propósito.

Vou dar mais um exemplo. Quando Barack Obama concorreu à presidência em 2008 nos Estados Unidos, sua figura atraente e charmosa me fizeram crer que ele seria um presidente muito popular. Mas antes do resultado das eleições previ que, se ele fosse eleito, o país iria entrar em declínio. Isso levou um membro da Happy Science que vivia em Chicago, a cidade natal de Obama, a contrapor: "Mesmo em se tratando do senhor, mestre Okawa, não seria um pouco exagerado afirmar que alguém que nem sequer chegou à presidência irá arruinar o país caso seja eleito?"

Porém, dois anos após a posse de Obama, essa mesma pessoa declarou: "O senhor estava certo, mestre Okawa. Peço desculpas. A economia americana está em ruínas. Obama não tem a menor noção de como comandar a economia". Portanto, às vezes uma pessoa em Tóquio pode enxergar com mais clareza do que alguém em Chicago.

A Happy Science vem se manifestando sobre questões como a defesa nacional por meio de veículos como o filme *O Julgamento Final*, e acredito que o sentido da nossa mensagem ficará perfeitamente claro com o tempo. Para mim é muito duro ser capaz de enxergar o futuro mais longe do que as outras pessoas, mas o que eu desejo transmitir irá ficar bem esclarecido mais tarde.

O Efeito das Palestras pelo Mundo

Quando dou palestras, vários efeitos fazem-se sentir logo em seguida. Por exemplo, dei uma palestra em inglês em Sydney, na Austrália, em 2009. Foi um evento de proporções bastante reduzidas, para poucas centenas de pessoas, no auditório de um hotel.

O Poder de Criar o Futuro

O primeiro-ministro da Austrália era muito popular na época e contava com um índice de aprovação de 90%. No entanto, mesmo achando que "os australianos poderiam não gostar muito" se eu falasse algo contra uma figura política tão popular, fiz críticas abertas às suas posições.

Fiz isso porque esse primeiro-ministro favorecia incrivelmente a China e chegara a vender aos chineses uma grande extensão de terras para a mineração do ferro. A China vinha comprando muitas terras na Austrália naquela época. O primeiro-ministro havia adotado uma política pró-China, portanto incluí na apresentação uma crítica a essa postura. Então, após a palestra, a Austrália deu uma guinada abrupta e passou a se afastar da China. O país "começou a ver com cautela a decisão da China de adquirir grandes extensões de terra" no país e "passou a considerar os aspectos militares de sua autodefesa".

Este político acabou renunciando ao cargo de primeiro-ministro e se tornou ministro das Relações Exteriores, mas esse foi apenas um dos incidentes que costumam se seguir às palestras que eu ministro.

Em Hong Kong, em 2011, também dei uma palestra em inglês. Na época, acreditava-se que havia apenas duas opções para o povo de Hong Kong: "permanecer num país comunista ou fugir para outro país, como Cingapura". Contrariando isso, ensinei que "a missão de Hong Kong era transformar a China e torná-la mais parecida com Hong Kong". Eu sabia que o serviço de segurança local estava presente na minha palestra, mas mesmo assim transmiti essa mensagem para uma plateia de mais de mil pessoas.

No ano seguinte, "no 15º aniversário da devolução de Hong Kong à China", 400 mil pessoas realizaram uma manifestação na cidade para protestar contra a perda de direitos como o da "liberdade de imprensa", da "liberdade de publicação" e da "liberdade de expressão". O protesto era contra o fato de a China não estar honrando sua promessa de manter por cinquenta anos o sistema existente.

Tive a impressão de que "as sementes que eu plantara um ano antes haviam começado a brotar". Esse movimento irá se estender até Taiwan e depois, um pouco mais tarde, até Okinawa, Japão. Sinto que as sementes que plantei começam a germinar.

Levar Felicidade e Paz à China e à Coreia do Norte

De uns tempos para cá, tenho criticado a China e a Coreia do Norte em várias ocasiões, mas obviamente não faço isso para causar sofrimento aos povos desses países, para provocá-los ou criar-lhes problemas. Estou simplesmente ensinando a esses países como obter mais paz e felicidade e como prosperar sem atrapalhar os países vizinhos. Se agirem de acordo com meus ensinamentos, os dois países se tornarão lugares muitos melhores para viver.

É absurdo que "num país grande como a China, com uma população de 1 bilhão e 300 milhões de habitantes, exista censura, controle rigoroso das publicações e supressão da liberdade de expressão e de circulação de informações". O país exerce até controle policial dos conteúdos da internet, e é comum cidadãos serem detidos e presos sem uma razão aparente.

Tais condições não deviam prevalecer num país que abriga um quinto da população mundial. É intolerável que um comportamento como o do regime militar de Myanmar se repita num país com 1,3 bilhão de pessoas. Sinto que o povo da China precisa ser libertado, e por isso transmiti esta mensagem. Se fizerem como eu sugiro, acredito que "verão mais tarde o país melhorar e poderão viver em paz com os países vizinhos".

A China tem uma presença muito forte em Uganda, país que eu visitei há pouco tempo. Os chineses estão construindo vários edifícios para o governo desse país, entre eles o palácio presidencial. Por outro lado, parece que para o povo de Uganda o Japão é praticamente invisível. Mesmo assim, quando visitei Uganda, "algumas pessoas de lá achavam que minha ida tinha o intuito de competir com a China pelo predomínio na África".

A China precisa hoje dos recursos naturais e dos alimentos da África para sustentar sua imensa população. Ela também quer assegurar rotas marítimas para o petróleo que vem do Oriente Médio e conseguir a hegemonia chinesa desse trecho do oceano. A China também almeja se tornar uma grande potência e sobreviver como país, e para isso "precisa assegurar recursos do subsolo, recursos de águas marítimas profundas e áreas de pesca em volta do Japão e do Sudeste Asiático".

Considerando sua posição, é perfeitamente natural que eles pensem dessa maneira. No entanto, a China precisa compreender bem a situação e agir sem causar problemas aos demais países.

Por exemplo, atualmente muitos chineses estão comprando montanhas e florestas no Japão. Os japoneses não entenderam o sentido disso, mas o que os chineses estão pretendendo de fato é conseguir água.

A China praticamente não tem rios limpos, por isso sofre com escassez de água e continuará a ter esse problema no futuro. Mas as montanhas e florestas do Japão têm muitos cursos de água e cachoeiras; portanto, se eles comprarem as florestas, poderão garantir bastante água. Hoje um litro de água na China custa quase o mesmo que um litro de petróleo. Ou seja, a China começou a comprar terras nas regiões montanhosas do Japão para garantir suprimento de água no futuro.

Isso pode muito bem ser uma política nacional da China. No entanto, como cada país tem seus próprios planos para o futuro, os países deveriam cooperar de uma maneira mais hábil uns com os outros.

Embora eu seja um líder religioso, estou fazendo meu trabalho e ao mesmo tempo projetando-me no mundo. Tomando emprestadas as palavras do professor Itokawa, isso requer "persistência", "aprendizagem contínua" e "encontro com muitas pessoas". Sinto que minhas viagens têm feito crescer continuamente a dimensão do meu trabalho.

Por exemplo, quando visito outros países, posso ver melhor "o que é necessário no Japão". É difícil ter uma ideia clara disso permanecendo no Japão, mas quando você viaja e trabalha no exterior, pode ver melhor "quais são as necessidades do seu país, o quanto ele precisa mudar" e, inversamente, "o que o Japão pode transmitir de útil ao mundo".

Portanto, gostaria de deixar claro que "é muito importante adquirir novos conhecimentos e fazer contatos com novas pessoas".

4

"Dominar o Inglês" e Ter "Conhecimentos Úteis"

Você Poderá Exercer Grande Influência se Souber Falar Inglês

Citei persistência, aprendizagem contínua e contatos com pessoas como as três condições para o sucesso, e gostaria de me aprofundar na questão da aprendizagem.

Após minha viagem a Uganda, posso afirmar que já visitei os cinco continentes. Há várias línguas naquele país, mas o idioma oficial é o inglês. É a língua comum, e as aulas nas escolas são em inglês, por isso o povo de Uganda pode ler, falar e se fazer entender em inglês.

Sempre que vou ao exterior fica evidente "a grande influência que pode ser exercida quando se é capaz de falar inglês". Embora eu seja japonês, o fato de "saber falar inglês" "permitiu que minhas palestras fossem transmitidas ao vivo pela televisão" e entendidas por seus habitantes. E isso vale não só para Uganda; minha palestra foi transmitida por várias estações de televisão no Sri Lanka, e também exibida ao vivo pela televisão do Nepal e da Índia.

No Japão não é tão fácil conseguir que as palestras de um líder religioso sejam transmitidas pela tevê, mesmo que sejam feitas em japonês. No entanto, descobri por experiência própria que "é possível ter uma palestra transmitida por tevê no exterior, desde que você fale inglês".

Muitos japoneses estudam inglês com dedicação; por isso, se as pessoas se esforçarem ainda mais e se tornarem fluentes, isso poderá ter um grande efeito. Se você desiste na metade do caminho, seus estudos terão pouca utilidade prática. Você precisa ser perseverante por um período maior para que seus estudos alcancem um nível em que possam ser usados na prática.

Tenha como Meta Comunicar-se Bem em Inglês

Hoje a Universidade de Tóquio planeja iniciar seu ano acadêmico em setembro, a fim de se tornar mais internacional, e também pretende oferecer ensino especial em inglês. Dos quase 3 mil alunos por ano, a ideia seria escolher 300 no primeiro e segundo anos. A partir do terceiro ano, esse número seria reduzido para 100 estudantes de vários departamentos. Esses alunos receberiam ensino especial que incluiria aulas em inglês e apoio para estudar no exterior. A universidade também pretende ter mais de 300 alunos com pontuação acima de 100 no TOEFL (*Test of English as a Foreign Language* ou Prova de Inglês como Língua Estrangeira).

As pessoas mais velhas talvez pensem que o TOEFL ainda é uma prova só para estudantes de intercâmbio, com uma nota máxima de 677, mas hoje em dia o TOEFL iBT, com pontuação máxima de 120, constitui a norma, e acho que é o único exame de TOEFL que os mais jovens conhecem.

A Universidade de Tóquio quer implantar esse "programa de línguas de elite", mas já lancei um programa similar para melhorar o inglês não só dos estudantes da Academia Happy Science e do cursinho preparatório, Success Nº 1, oferecido pela Escola Internacional para Difusão da Verdade Búdica, mas também dos nossos membros, funcionários e dos que fazem trabalho missionário na Happy Science no exterior.

Em apenas três anos, escrevi noventa livros didáticos para o ensino da língua inglesa, e tenho colocado como objetivo fazer com que as pessoas que estudam por esses livros consigam pontuar mais de 100 no "TOEFL iBT". A Universidade Happy Science, que deverá ser inaugurada em 2015, já tem como meta alcançar esse nível.

A propósito, a que nível de domínio do inglês corresponde essa pontuação de 100 no TOEFL iBT? Os estudantes universitários japoneses obtêm em média 40 pontos nesse teste. Dizem que aqueles que conseguem entrar na Universidade de Tóquio obtêm em média 60 pontos.

Porém, mesmo essa pontuação de 60 não é suficiente para entrar numa universidade padrão americana, com cursos de quatro anos de duração; ela só permitiria a você entrar numa escola pública de línguas (filiada a uma universidade ou faculdade). Algumas pessoas estudam inglês nessas escolas por cerca de dois anos, e depois passam para uma universidade com cursos de quatro anos.

Para ingressar numa dessas universidades americanas, você precisa tirar uma nota de cerca de 80, e para entrar numa das grandes universidades a nota mínima é 100. A Universidade de Tóquio quer formar pelo menos 300 estudantes por ano que alcancem essa pontuação de 100. Para ingressar nos cursos de MBA de Harvard (na Harvard School of Business) é preciso obter 109 como nota mínima.

Muitos membros da Happy Science já começaram a estudar inglês com esse objetivo. O material didático está concluído com a publicação dos quatro volumes de *English Vocabulary for Studying Abroad* (Happy Science).

As pessoas em geral só se preocupam em aprender inglês quando surge uma necessidade concreta, mas essa preparação deve ser feita o mais cedo possível. Devemos continuar estudando sempre e elevar o nosso inglês a um nível que nos permita transmitir nossa mensagem. Para isso, é importante procurarmos ser eficazes nos nossos esforços.

Eu também preciso estudar para poder fazer boas palestras em inglês, mas "seria um desperdício gastar o tempo somente com meus estudos". Meu tempo não é só meu, por isso decidi criar livros didáticos sobre o que acho necessário aprender – vocabulários, frases, expressões idiomáticas, gramática e usos coloquiais –, para que isso servisse de ferramenta para os estudantes da Academia Happy Science e da nossa escola preparatória Success Nº 1, e também para nossos membros e funcionários, no Japão e no exterior. Sem que me desse conta, concluí quase cem livros didáticos, e venho produzindo esse legado como parte dos meus estudos.

Transforme Informação em "Conhecimento" e Crie o Futuro

Há mais um ponto que gostaria de ressaltar sobre "aprendizagem". Quando se trata de aprender, você não deve "aprender só por aprender", ou apenas "para adquirir informação". Você entenderá bem isso se ler com atenção o grande especialista americano em administração Peter Drucker. Ele ensina que "o futuro deve ser encontrado no conhecimento".

Drucker também afirma que "o conhecimento não está nos livros; o que encontramos nos livros é apenas informação". Naturalmente, o que é mostrado nos jornais, na televisão e na internet também é apenas informação.

Drucker diz: "Adquirir um monte de informação é diferente de adquirir conhecimento". A informação só vira conhecimento quando você a vincula ao seu trabalho, quando você a usa e insufla vida nela. Assim, "não é bom parar no nível de estudar o suficiente para passar nas provas". Você precisa fazer uma conexão daquilo que aprendeu com o seu trabalho e produzir resultados. Se estudou o suficiente para ser capaz de usar de fato aquilo que aprendeu, então isso realmente se torna conhecimento. E é aí que o futuro pode ser encontrado". Concordo plenamente com o que Drucker diz.

Voltei a estudar "inglês a partir da perspectiva de fazer palestras em inglês", e reorganizei os vários tipos de informação de que dispunha. Então criei um modelo que pudesse produzir os resultados que eu procurava e dei-lhe uma forma tangível. Descobri que era importante não apenas reunir as informações, mas organizá-las e reproduzi-las de um modo que me permitisse utilizá-las no trabalho. Antes, apenas duas pessoas da nossa equipe eram capazes de dar longos seminários em inglês em nosso trabalho de divulgação no exterior, mas, com a inclusão do inglês como uma das diretrizes da organização, muitos membros da nossa equipe estão agora em condições de proferir seminários em inglês. Acredito que é aí que o futuro se encontra.

Hoje há uma enorme quantidade de informação disponível, a partir da qual se pode formar a base do conhecimento. Mas não é bom gastar o tempo apenas procurando ou lendo essa informação. Você precisa escolher informação que tenha a ver com seu trabalho ou com a criação de novo trabalho, e depois colocá-la em prática na sua atividade.

Quando você domina bem a tarefa de reunir informação de uma forma aproveitável na prática e passa a usá-la desse modo, então essa informação se completa e se transforma em conhecimento. E esse conhecimento irá criar o futuro. Seu futuro está no conhecimento. Em resumo, você colhe informação numa forma utilizável em seu trabalho, faz uso dela e ensina os outros. Quando esse nível é alcançado, você pode começar a construir o futuro.

O mesmo pode ser dito da educação. Não se deve limitar-se a ensinar apenas o que consta da grade curricular para os alunos. Quando se estimula os alunos a aprender numa forma que tenha conexão com o trabalho que farão mais tarde, com o trabalho do futuro, eles passam a obter conhecimento, e então o futuro começa a se abrir.

Vivemos numa sociedade que transborda de informação, mas, por favor, leve em conta que "colher informação é diferente de adquirir conhecimento". É importante organizar a informação de modo que ela se vincule ao seu trabalho. Você deve absorvê-la, transformá-la e inventar algo novo, que nunca existiu antes, e propor novas necessidades.

Além disso, precisa visualizar uma nova era e inspirar as pessoas a realizá-la. Isso se aplica a escritores, sejam eles romancistas ou críticos, a artistas, como pintores e músicos, industriais e homens de negócios; aplica-se a todo mundo. Se você cria uma era e as pessoas começam a segui-la, você terá grande sucesso, seja qual for seu ramo de atividade. Tudo depende de usar o conhecimento de modo efetivo.

"A persistência" e "a continuidade" são essenciais para se alcançar sucesso. Quando você pensa no "esforço como algo divertido" e não apenas como trabalho árduo, e faz com que o esforço se torne um hábito, o futuro se abrirá à sua frente.

Capítulo Cinco

A Ressurreição da Esperança

Almeje Mais Progresso no Futuro

A Ressurreição da Esperança

1

Despertando o Potencial Desconhecido

Dei a este capítulo final o título de "A Ressurreição da Esperança", porque gostaria de entrar nos detalhes referentes a esse tema.

Se olharmos para o mundo de um ponto de vista negativo, concluiremos que o ano de 2012 foi bastante difícil. Por exemplo, pode-se ter a impressão de que o Japão só agora está se recuperando finalmente do grande terremoto de quase dois anos atrás. Independentemente disso, devo dizer, em primeiro lugar, que "mesmo quando ocorre uma catástrofe temporária, tudo tende a avançar".

"De acordo com a profecia maia, o mundo iria acabar em 2012." Nos últimos anos, essa profecia espalhou-se pelo planeta. Sem dúvida, ocorrem muitos desastres naturais, e guerras regionais continuam sendo travadas no mundo todo hoje em dia. Se você olhar apenas para esses eventos, pode parecer que o futuro será sombrio, mas "as coisas não são necessariamente assim".

Muitas pessoas confiam nos jornais, nas revistas e na televisão para ter conhecimento dos fatos que ocorrem no mundo todo. Mas é importante considerar que a mídia tende a se concentrar no relato de notícias ruins, por isso é difícil as notícias boas se espalharem e terem maior impacto.

Vamos tomar como exemplo o terremoto de 11 de março de 2011 no Japão. Desde então, a mídia tem retratado o nordeste do Japão como uma região completamente devastada que parecia impossível de se recuperar. Ao contrário, quando visitei a região de Sendai dois meses após o incidente, descobri que a cidade resistiu bem. A mídia raramente noticia eventos positivos como esse, por isso muitas pessoas não sabem que "algumas cidades simplesmente não foram afetadas".

As pessoas que vivem no exterior têm mais dificuldade ainda para compreender a situação atual. Elas viram inúmeras vezes as imagens do tsunami, e "muitas delas achavam que o desastre havia atingido até mesmo a cidade de Tóquio".

Entretanto, a verdade é que o Japão ainda tem um poder imenso. Uma prova desse poder latente está no fato de ser possível que eu viaje pelo mundo todo dando palestras[4]. O país ainda conta com uma força extraordinária, e acredito que tem um grande potencial até agora desconhecido. O Japão tem condições e tecnologia para ajudar o mundo todo, devendo parar de se concentrar somente em si.

Há numerosos incidentes, catástrofes e conflitos ocorrendo hoje no mundo todo. Você pode achar que esses desastres são irrelevantes para a sua vida, mas, "na verdade, já existem muitos países que estão procurando a ajuda do Japão". Precisamos ter conhecimento desse fato.

---

4. Desde o terremoto, o mestre Ryuho Okawa realizou palestras nas Filipinas e em Hong Kong em maio de 2011, em Cingapura e na Malásia em setembro de 2011, no Sri Lanka em novembro de 2011, em Uganda em junho de 2012 e na Austrália em outubro de 2012.

A Ressurreição da Esperança

Foi isso o que constatei em Uganda, país que visitei recentemente. No Japão, quando as pessoas ouvem meus ensinamentos, tentam classificá-los dentro dos padrões existentes. Por exemplo, muitas vezes veem a Happy Science como "uma religião que adotou ensinamentos de outras religiões ou pensamentos de grandes mestres do passado". No entanto, em Uganda, as pessoas se mostraram "capazes de aceitar que esses ensinamentos têm o poder de uni-las como se fossem um só corpo".

As pessoas em Uganda "viveram muitos conflitos e guerras civis, decorrentes em grande parte de divergências religiosas. É por isso que elas desejam ser unidas pelos ensinamentos da Happy Science".

Gostaria de fazer o que estivesse ao meu alcance para ajudá-las de todas as formas possíveis.

Salve o Mundo Fazendo uma "Revolução na Espiritualidade"

"Dois Grandes Problemas"

O mundo atual está enfrentando dois problemas principais. Um deles é a luta pelo poder travada entre "nações que não acreditam em Deus" e "nações que acreditam em Deus". O outro são os conflitos entre as próprias pessoas que acreditam em Deus. "Aqueles que acreditam em Deus passaram a metade dos últimos dois mil anos lutando entre si pelo fato de chamarem Deus por nomes diferentes. Devemos colocar um ponto final nesses conflitos."

Esses são os dois grandes problemas. De qualquer modo, não há dúvida de que ambas as questões envolvem "a fé". No que diz respeito "à crença em Deus e no outro mundo", há apenas duas opções: "acreditar ou não". No final, você precisa voltar ao seu ponto de partida como ser humano e refletir sobre a questão: "De que modo devemos pensar enquanto seres humanos?"

O Conflito entre as Nações Ateístas e as Nações Religiosas

Está ocorrendo agora uma revolução no Japão, promovida pelos numerosos livros de mensagens espirituais publicados pela Happy Science. Ao longo da história, inúmeras pessoas

A Ressurreição da Esperança

revelaram aspectos "da existência do outro mundo", de várias maneiras. Muitas religiões também fizeram isto.

No entanto, o que estou fazendo agora por meio da Happy Science é "provar de maneira absoluta a existência do outro mundo". "Embora algumas pessoas tenham sido bem-sucedidas em fazer os outros acreditarem no outro mundo, ninguém nunca havia provado sua existência." É por isso que a Happy Science está trabalhando no sentido de apresentar essas provas.

Nos últimos três anos, lancei mais de cem livros de mensagens espirituais. Cada espírito que transmite mensagens espirituais tem uma personalidade única e uma maneira singular de pensar. Eu publiquei diversas mensagens espirituais recebidas de grandes figuras da história e também de espíritos guardiões de pessoas atualmente vivas. Recentemente, gravei também mensagens de espíritos infernais.

O que venho fazendo é algo muito importante. Estou trabalhando para provar de forma definitiva a existência do mundo espiritual. Nenhuma outra religião oficial tentou fazer isso alguma vez neste mundo, mas aceitei esse desafio difícil e estou me empenhando incansavelmente para apresentar as provas. Esta é a "revolução na espiritualidade" que estou promovendo no Japão e no mundo.

Ao mesmo tempo, estou tentando resolver os conflitos entre as "nações ateístas" e as "nações religiosas", sem dar início a nenhuma guerra. Há pessoas e países que "acreditam em Deus, em espíritos elevados e em anjos que nos protegem a partir do mundo celestial". Também há aqueles que não acreditam nisso de modo algum. Qual lado está correto? A resposta a essa questão irá eliminar para sempre metade dos conflitos do mundo atual.

Como se pode ver em nosso recente filme *O Julgamento Final*, uma das maiores ameaças que o Japão enfrenta é "a hegemonia de uma nação ateísta". Uma crise futura está oculta em suas ações. Muitas pessoas podem estar com medo dessa nação em expansão. No entanto, o medo nunca pode vencer a fé. A partir de agora vou provar isso.

Como Filhos de Deus, Todas as Pessoas Devem Ter Liberdade

No verão de 2012, foi lançado no Japão um filme sobre a vida de Aung San Suu Kyi, intitulado *The Lady* (no Brasil, *Além da Liberdade*). O filme mostra a história real de uma mulher que lutou pela democratização de Myanmar, e que foi mantida em prisão domiciliar por quase vinte anos.

No filme, Aung San Suu Kyi deixa o marido e os filhos na Inglaterra, volta ao seu país natal, Myanmar, e dedica sua vida ao movimento pró-democracia. Aung San Suu Kyi e seu partido ganharam as eleições por uma margem avassaladora, mas o regime militar recusou abandonar o poder e colocou-a sob prisão domiciliar.

Durante esse período, seu marido foi diagnosticado com câncer. Se Aung San Suu Kyi saísse do país para ir visitar o marido na Inglaterra, nunca mais poderia entrar de novo em Myanmar. Mesmo sabendo que não poderia ver mais o marido, ela escolheu permanecer no seu país natal. O filme conta a história da forte determinação dessa mulher em lutar pelo seu povo.

O filme mostra também que, "para um governo militar, uma cédula de votação nada mais é do que um pedaço de papel"; ou seja, que "contra as armas, um voto é impotente". Foram necessários vinte anos para que essa questão fosse resolvida em Myanmar, e finalmente o país está seguindo numa boa direção.

O fundador da República Popular da China, Mao Tsé-Tung, foi quem declarou que "uma revolução se faz a partir do cano de uma arma". No entanto, esse tipo de pensamento não deve perdurar por muito tempo.

Hoje, após vinte anos, Myanmar está enfim passando de um regime militar para uma democracia. Por outro lado, existem vários países ditatoriais com regimes militares que estão tentando expandir seus territórios na Ásia, na África e na região da Oceania.

Um deles é, obviamente, a China e o outro, a Coreia do Norte. Se conseguirmos fazer com que esses países compreendam a verdade, poderemos evitar uma grande guerra no futuro. Por essa razão, os membros da Happy Science estão travando uma batalha pacífica, em países como a Coreia do Norte, a China, Hong Kong e Taiwan, usando apenas as palavras da Verdade. Nossos membros estão mostrando às pessoas "o correto caminho" e agindo com o desejo sincero de despertá-las para o mundo verdadeiro.

O caminho para levar felicidade aos cidadãos desses países é permitir liberdade, democracia, liberdade de expressão e de imprensa, liberdade religiosa, e acabar com os regimes militares ou ditaduras de partido único, estabelecendo em seu lugar sistemas multipartidários. É o que precisamos lhes transmitir e ensinar.

A hora é agora. Há muitos membros da Happy Science entre os 20 milhões de habitantes da Coreia do Norte. Neste exato momento, eles lutam sozinhos, mas eu não vou permitir que a Coreia do Norte continue mantendo seus 20 milhões de habitantes presos como se estivessem condenados pela nação. Quero conceder-lhes liberdade.

O mesmo vale para a China, que possui 1,3 bilhão de habitantes. Eles têm tido sucesso econômico nos últimos anos, mas acabaram incutindo o materialismo e o ateísmo em seu povo, que responde por um quinto da população mundial. Eles corromperam o povo ensinando que "não existe Deus e que este mundo é formado apenas por objetos materiais". E Deus não permitirá que esta situação prossiga.

Precisamos despertar os líderes chineses e norte-coreanos para o fato de que "os seres humanos são filhos de Deus". Quando entenderem isso, eles acabarão dando liberdade ao seu povo.

Os chineses não são nossos inimigos, são nossos parceiros. Eles também precisam exercer a liberdade religiosa. Devem conquistar a liberdade de ter opiniões diferentes. Se eles acham que a política do seu país "está equivocada", devem ter a liberdade de criticá-la.

Os governantes devem ouvir as críticas do povo e, se "tiverem fundamento", devem mudar de opinião. Por outro lado, se eles acreditam que sua política irá trazer felicidade ao seu povo, "apesar das críticas que recebe, então os governantes devem convencer os cidadãos disso".

Acreditar no Desejo de Deus/Buda Pode Trazer União ao Mundo

Na minha maneira de ver, a verdadeira intenção da China é garantir suprimentos de alimentos e de outros recursos naturais encontrados em países da Ásia, África, América do Sul e Oceania, usando para isso seu grande poderio militar.

A Ressurreição da Esperança

No entanto, temos não só o direito como a obrigação de viver num mundo mais pacífico e harmonioso. É possível criar um mundo em que todas as pessoas tenham laços de amizade entre elas. Segundo uma pesquisa realizada na China[5], 90,8% da população acha que o governo chinês deve assegurar sua soberania sobre as ilhas Senkaku, "mesmo que para isso seja preciso recorrer à força militar".

Porém, mesmo sob essas circunstâncias, há muitos turistas chineses vindo visitar o Japão, para fazer compras em Ginza ou visitar o Palácio Imperial Japonês, o Santuário Meiji Jingu, os bairros de Roppongi ou Shinjuku. As grandes lojas de departamentos estão provendo informações em chinês, devido ao grande número de clientes chineses. Estes não precisam se preocupar, pois ninguém irá causar-lhes dano algum no Japão. Quero que o povo chinês compreenda que "o Japão é um país fraterno".

Podemos viver como amigos, mas para que isso se concretize, devemos nos unir na crença de que há algo que transcende este mundo: a Vontade de Deus ou de Buda. Isso é o mais importante.

---

5. Realizada em julho de 2012.

… As Leis do Futuro

Definir, Como Nação, uma "Meta de Prosperidade"

Com Fé É Possível Salvar até Mesmo Nações Desenvolvidas

O Japão é um país esplêndido. Comparado com a nação de Aung San Suu Kyi, por exemplo, ele é verdadeiramente maravilhoso. Não é apenas abençoado economicamente, mas oferece ao seu povo a liberdade de se expressar pelo voto. Eu ouso dizer que o Japão tem até a liberdade de não eleger o Partido da Realização da Felicidade, um partido político guiado por Deus/Buda. As pessoas são livres para votar em quem quiserem. Nada lhes acontecerá se não apoiarem o Partido da Realização da Felicidade, embora eu não possa impedir que no futuro venham a sofrer consequências divinas pelas escolhas que fizeram.

O Japão tem ainda a liberdade de "abrigar múltiplas ideologias". Por exemplo, a Happy Science apoia o Partido Democrático (atualmente no poder) em alguns pontos, embora discorde em outros. Mas quando expresso minhas opiniões, quaisquer que sejam, minhas palavras passam a influenciar o país de várias maneiras. Como resultado, nossa política nacional sofre alterações, e ela por sua vez cria o futuro. Embora esse processo seja lento, nosso país com certeza está mudando. O Japão, com esse tipo de sistema, não é um mau país.

O Japão também cultiva bons padrões de conduta e, nesse sentido, os japoneses têm uma mentalidade bastante elevada. O que nos falta é "a pura fé", algo que está acima dos bons padrões de conduta. Precisamos ir além desse nível e entrar no mundo da pura fé.

Se os japoneses forem capazes de estabelecer e de espalhar a pura fé, e se essa fé incluir o ideal de prosperidade, então meus ensinamentos com certeza poderão salvar o mundo. Seremos capazes de salvar outros países – asiáticos, africanos, europeus e da América do Norte e do Sul.

Sem dúvida poderemos salvar países pobres, mas também nações desenvolvidas. No momento, a Europa atravessa uma crise tanto econômica quanto política.

Atualmente, o Japão não tem voz muito ativa na sociedade global, mas isso ocorre porque não há japoneses expressando suas opiniões. Se houvesse líderes de opinião capazes de apresentar princípios e ideais ao mundo, seria possível salvar a Europa de sua crise. Também há espaço para discussões com os Estados Unidos.

O Japão está recebendo um chamado e tem força para liderar o mundo. É por isso que o Japão como país não deverá entrar em declínio. Acredito sinceramente que "o Japão sem dúvida tem o poder de superar os desastres naturais e conflitos internacionais que vierem a ocorrer".

A Economia Não Vai Entrar em Colapso

Se no futuro nosso crescimento econômico for mais que o dobro do atual, então o déficit da nossa nação será completamente zerado por meio de um aumento da renda interna a partir da arrecadação de impostos.

Embora o governo japonês tenha um déficit fiscal, o Japão é um dos credores mais fortes do mundo, e como nação sua economia apresenta superávit. Portanto, a economia japonesa não vai entrar em colapso. A estrutura econômica do país é fundamentalmente diferente daquela da Grécia, Espanha ou Itália. O Japão é um país com superávit, portanto irá permanecer forte.

O Ministério das Finanças, claro, tem vontade de "elevar os impostos para reduzir o déficit do governo". Ele tem intenção de mudar a estrutura da taxação para aumentar sua arrecadação de impostos. Obviamente, essa é a linha de pensamento mais usual. Qualquer um pensaria de imediato numa solução como essa.

Se tomarmos como exemplo uma empresa privada, qualquer executivo iria querer "aumentar o rendimento em vez de aumentar as despesas". O governo japonês está adotando uma abordagem similar. No entanto, somente amadores apresentariam uma solução desse tipo.

É verdade que o imposto sobre o consumo no Japão, de 5%, é bem baixo em comparação com o de outros países desenvolvidos, como os da Europa, por exemplo. Portanto, pode parecer muito natural aumentá-lo para 8% ou 10%.

Mesmo assim, poucos no Ocidente sabem que há "impostos encobertos no Japão". O país paga pensões anuais e várias taxas médicas, mas essas taxas na verdade são impostos encobertos. Muitos estrangeiros não sabem da existência desses impostos, então eles simplesmente olham para o nosso imposto sobre o consumo e dizem que "ainda é baixo", mas estão equivocados.

Se o imposto sobre o consumo no Japão fosse baixo de fato, então acho que mais lojas de departamentos japonesas fariam ofertas de ações em inglês, e não só em chinês. O fato de haver pouca necessidade de ofertas de ações em inglês prova que os investidores americanos e europeus não vivem no Japão.

Por que isso acontece? A razão é que os impostos japoneses são altos e, portanto, constituem um fardo mais pesado em comparação com o que ocorre nas nações do Ocidente. Todos os impostos, inclusive os corporativos, o imposto de renda e o imposto sobre heranças, são muito altos no Japão, e os investidores estrangeiros tendem a ficar fora do país. Na minha opinião, "se um país não é capaz de atrair os ricos, então não conseguirá maior prosperidade".

Tenha Como Meta Mais Prosperidade, e Não Apenas a Recuperação Econômica

Os japoneses já experimentaram uma grande perda. Durante a administração Koizumi (2001-2006), o índice médio Nikkei de ações estava em torno de 16 mil ou 17 mil ienes, mas a certa altura caiu para menos de 8.500 ienes. Isso significa que "os ativos de companhias e de acionistas individuais foram reduzidos à metade". O governo japonês está causando uma redução nos ativos de seus cidadãos.

O pior é que, antes de um aumento no imposto sobre o consumo, houve uma elevação no preço da eletricidade. Isso ocorreu porque o país começou a queimar mais combustíveis fósseis para obtenção de eletricidade, após o acidente na usina nuclear de Fukushima em 2011, que levou ao fechamento de todas as usinas nucleares japonesas de produção de energia elétrica. Em consequência disso, os preços dos combustíveis fósseis aumentaram, e as companhias elétricas entraram no vermelho. Por isso, os preços da eletricidade aumentaram consideravelmente este ano.

Os cidadãos japoneses ficam indignados quando alguém revela que "ninguém morreu diretamente por efeito da radiação". Enquanto isso, como resultado do atendimento de políticas energéticas conservacionistas, centenas de pessoas foram levadas todos os dias aos hospitais vítimas de insolação. Algumas morreram por causa disso, mas no dia seguinte os cidadãos já tinham esquecido. O povo japonês é assim. Infelizmente, "não conseguem diferenciar os grandes problemas das questões triviais".

O que o Japão precisa ter como objetivo no momento é uma maior prosperidade. Como nação, precisa definir como meta a prosperidade. Ela trará maior riqueza ao povo e também irá conferir-lhe poder para defender o país, e poder para estender a justiça ao mundo. Os japoneses precisam gravar isso profundamente no coração.

Os japoneses não devem apenas ficar olhando para o passado e tentar meramente recuperar o que se acostumaram a ter. Em vez disso, devem progredir ainda mais no futuro. Essa é a razão pela qual a Happy Science foi criada no Japão, e acredito firmemente que é desse modo que esse país poderá se tornar a potência capaz de salvar o mundo. Vamos fazer o melhor possível para isso.

Posfácio

O Futuro Será Construído Conforme as Minhas Palavras

Venho transmitindo esta mensagem repetidamente, tanto em japonês quanto em inglês.

Não importa o que possam dizer, sou o Senhor da Esperança, o Buda que alcançou a iluminação e o Supremo Salvador.

"Nunca desistir" e "viver positivamente" são os meus credos pessoais. Tenho certeza de que seremos capazes de construir "uma nova sociedade" – com o poder da nossa mente e com o desejo de criar o futuro.

Chegou a hora de ensinar a todas as pessoas o verdadeiro sentido da "fé".

Ryuho Okawa
dezembro de 2012

Sobre o Autor

O mestre Ryuho Okawa começou a receber mensagens de grandes personalidades da história – Jesus, Buda e outros seres celestiais – em 1981. Esses seres sagrados vieram com mensagens apaixonadas e urgentes, rogando para que ele transmitisse às pessoas na Terra a sabedoria divina deles. Assim se revelou o chamado para que ele se tornasse um líder espiritual e inspirasse pessoas no mundo todo com as Verdades espirituais sobre a origem da humanidade e sobre a alma, por tanto tempo ocultas. Esses diálogos desvendaram os mistérios do Céu e do Inferno e se tornaram a base sobre a qual o mestre Okawa construiu sua filosofia espiritual. À medida que sua consciência espiritual se aprofundou, ele compreendeu que essa sabedoria continha o poder de ajudar a humanidade a superar conflitos religiosos e culturais e conduzi-la a uma era de paz e harmonia na Terra.

Pouco antes de completar 30 anos, o mestre Okawa deixou de lado uma promissora carreira de negócios para se dedicar totalmente à publicação das mensagens que recebe do Mundo Celestial. Desde então, até dezembro de 2012, já lançou mais de 1.000 livros, tornando-se um autor de grande sucesso no Japão e no mundo. A universalidade da sabedoria que ele compartilha, a profundidade de sua filosofia religiosa e espiritual e a clareza e compaixão de suas mensagens continuam a atrair milhões de leitores. Além de seu trabalho contínuo como escritor, o mestre Okawa dá aulas e palestras públicas pelo mundo todo.

Sobre a Happy Science

Em 1986, o mestre Ryuho Okawa fundou a Happy Science, um movimento espiritual empenhado em levar mais felicidade à humanidade pela superação de barreiras raciais, religiosas e culturais, e pelo trabalho rumo ao ideal de um mundo unido em paz e harmonia. Apoiada por seguidores que vivem de acordo com as palavras de iluminada sabedoria do mestre Okawa, a Happy Science tem crescido rapidamente desde sua fundação no Japão e hoje conta com mais de 12 milhões de membros em todo o globo, com Templos locais em Nova York, Los Angeles, São Francisco, Tóquio, Londres, Paris, Düsseldorf, Sydney, São Paulo e Seul, dentre as principais cidades. Semanalmente o mestre Okawa ensina nos Templos da Happy Science e viaja pelo mundo dando palestras abertas ao público. A Happy Science possui vários programas e serviços de apoio às comunidades locais e pessoas necessitadas, como programas educacionais pré e pós-escolares para jovens e serviços para idosos e pessoas portadoras de deficiências. Os membros também participam de atividades sociais e beneficentes, que no passado incluíram ajuda humanitária às vitimas de terremotos na China e no Japão, levantamento de fundos para uma escola na Índia e doação de mosquiteiros para hospitais em Uganda.

Programas e Eventos

Os templos locais da Happy Science oferecem regularmente eventos, programas e seminários. Junte-se às nossas sessões de meditação, assista às nossas palestras, participe dos grupos de estudo, seminários e eventos literários. Nossos programas ajudarão você a:

- Aprofundar sua compreensão do propósito e significado da vida.
- Melhorar seus relacionamentos conforme você aprende a amar incondicionalmente.
- Aprender a tranquilizar a mente mesmo em dias estressantes, pela prática da contemplação e da meditação.
- Aprender a superar os desafios da vida e muito mais.

Seminários Internacionais

Anualmente, amigos do mundo inteiro comparecem aos nossos seminários internacionais, que ocorrem em nossos templos no Japão. Todo ano são oferecidos programas diferentes sobre diversos tópicos, entre eles como melhorar relacionamentos praticando os Oito Corretos Caminhos para a iluminação e como amar a si mesmo.

Revista Happy Science

Leia os ensinamentos do mestre Okawa na revista mensal *Happy Science*, que também traz experiências de vida de membros do mundo todo, informações sobre vídeos da Happy Science, resenhas de livros etc. A revista está disponível em inglês, português, espanhol, francês, alemão, chinês, coreano e outras línguas. Edições anteriores podem ser adquiridas por encomenda. Assinaturas podem ser feitas no templo da Happy Science mais perto de você.

Contatos

TEMPLOS DA HAPPY SCIENCE NO BRASIL

Para entrar em contato, visite o website da Happy Science no Brasil:
http://www.happyscience-br.org

TEMPLO MATRIZ DE SÃO PAULO
Rua Domingos de Morais, 1154, Vila Mariana,
São Paulo, SP, CEP 04010-100.
Tel.: (11) 5088-3800; Fax: (11) 5088-3806
E-mail: sp@happy-science.org

TEMPLOS LOCAIS

SÃO PAULO
Região Sul:
Rua Domingos de Morais, 1154, 1º andar,
Vila Mariana, São Paulo, SP,
CEP 04010-100.
Tel.: (11) 5574-0054; Fax: (11) 5574-8164
E-mail: sp_sul@happy-science.org

Região Leste:
Rua Fernão Tavares, 124,
Tatuapé, São Paulo, SP,
CEP 03306-030.
Tel.: (11) 2295-8500;
Fax: (11) 2295-8505
E-mail: sp_leste@happy-science.org

Região Oeste:
Rua Grauçá, 77, Vila Sônia,
São Paulo, SP,
CEP 05626-020.
Tel.: (11) 3061-5400
E-mail: sp_oeste@happy-science.org

JUNDIAÍ
Rua Congo, 447, Jd. Bonfiglioli,
Jundiaí, SP,
CEP 13207-340.
Tel.: (11) 4587-5952
E-mail: jundiai@happy-science.org

RIO DE JANEIRO
Largo do Machado, 21 sala 607,
Catete
Rio de Janeiro, RJ,
CEP 22221-020.
Tel.: (21) 3243-1475
E-mail: riodejaneiro@happy-science.org

SOROCABA
Rua Dr. Álvaro Soares, 195, sala 3, Centro,
Sorocaba, SP, CEP 18010-190.
Tel.: (15) 3232-1510
E-mail: sorocaba@happy-science.org

SANTOS
Rua Itororó, 29, Centro,
Santos, SP, CEP 11010-070.
Tel.: (13) 3219-4600
E-mail: santos@happy-science.org

Templos da Happy Science pelo Mundo

A Happy Science é uma organização com vários templos distribuídos pelo mundo. Para obter uma lista completa, visite o site internacional (em inglês): www.happyscience.org.

Localização de alguns dos muitos templos da Happy Science no exterior:

JAPÃO
Departamento Internacional
6F 1-6-7, Togoshi, Shinagawa,

Contatos

Tokyo, 142-0041, Japan
Tel.: (03) 6384-5770
Fax: (03) 6384-5776
E-mail: tokyo@happy-science.org
Website: www.happy-science.jp

ESTADOS UNIDOS
Nova York
79 Franklin Street,
New York, NY 10013
Tel.: 1- 212-343-7972
Fax: 1-212-343-7973
E-mail: ny@happy-science.org
Website: www.happyscience-ny.org

Los Angeles
1590 E. Del Mar Boulevard,
Pasadena, CA 91106
Tel.: 1-626-395-7775
Fax: 1-626-395-7776
E-mail: la@happy-science.org
Website: www.happyscience-la.org

São Francisco
525 Clinton Street,
Redwood City, CA 94062
Tel./Fax: 1-650-363-2777
E-mail: sf@happy-science.org
Website: www.happyscience-sf.org

Havaí
1221 Kapiolani Blvd,
Suite 920, Honolulu
HI 96814, USA
Tel.: 1-808-537-2777
E-mail: hawaii-shoja@happy-science.org
Website: www.happyscience-hi.org

AMÉRICAS CENTRAL E DO SUL

MÉXICO
E-mail: mexico@happy-science.org
Website: www.happyscience.jp/sp

PERU
Av. Angamos Oeste, 354,
Miraflores, Lima, Perú
Tel.: 51-1-9872-2600
E-mail: peru@happy-science.org
Website: www.happyscience.jp/sp

EUROPA

INGLATERRA
3 Margaret Street,
London W1W 8RE, UK
Tel.: 44-20-7323-9255
Fax: 44-20-7323-9344
E-mail: eu@happy-science.org
Website: www.happyscience-eu.org

ALEMANHA
Klosterstr. 112, 40211 Düsseldorf, Germany
Tel.: 49-211-9365-2470
Fax: 49-211-9365-2471
E-mail: germany@happy-science.org

FRANÇA
56 rue Fondary 75015, Paris, France
Tel.: 33-9-5040-1110
Fax: 33-9-5540-1110
E-mail: france@happy-science-fr.org
Website: www.happyscience-fr.org

Outros Livros de Ryuho Okawa

O Caminho da Felicidade
Torne-se um Anjo na Terra
IRH Press do Brasil

Aqui se encontra a íntegra dos ensinamentos da Verdade espiritual transmitida por Ryuho Okawa e que serve de introdução aos que buscam o aperfeiçoamento espiritual. Okawa apresenta "Verdades Universais" que podem transformar sua vida e conduzi-lo para o caminho da felicidade. A sabedoria contida neste livro é intensa e profunda, porém simples, e pode ajudar a humanidade a alcançar uma era de paz e harmonia na Terra.

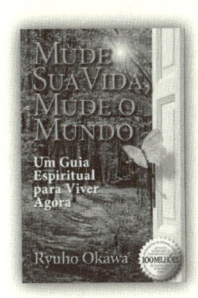

Mude Sua Vida, Mude o Mundo
Um Guia Espiritual para Viver Agora
IRH Press do Brasil

Este livro é uma mensagem de esperança, que contém a solução para o estado de crise em que nos encontramos hoje, quando a guerra, o terrorismo e os desastres econômicos provocam dor e sofrimento por todos os continentes. É um chamado para nos fazer despertar para a Verdade de nossa ascendência, para que todos nós, como irmãos, possamos reconstruir o planeta e transformá-lo numa terra de paz, prosperidade e felicidade.

A Mente Inabalável
Como Superar as Dificuldades da Vida
IRH Press do Brasil

Muitas vezes somos incapazes de lidar com os obstáculos que a vida nos apresenta, sejam eles problemas pessoais ou profissionais, tragédias inesperadas ou dificuldades que nos acompanham há tempos. Para o autor, a melhor solução para tais situações é ter uma mente inabalável. Neste livro, ele descreve maneiras de adquirir confiança em si mesmo e alcançar o crescimento espiritual, adotando como base uma perspectiva espiritual.

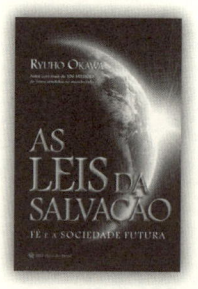

As Leis da Salvação
Fé e a Sociedade Futura
IRH Press do Brasil

O livro analisa o tema da fé e traz explicações relevantes para qualquer pessoa, pois ajudam a elucidar os mecanismos da vida e o que ocorre depois dela, permitindo que os seres humanos adquiram maior grau de compreensão, progresso e felicidade. Também aborda questões importantes, como a verdadeira natureza do homem enquanto ser espiritual, a necessidade da religião, a existência do bem e do mal, o papel das escolhas, a possibilidade do armagedom, o caminho da fé e a esperança no futuro, entre outros.

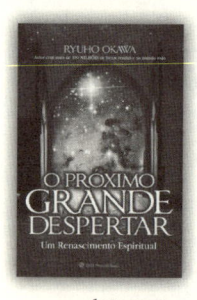

O Próximo Grande Despertar
Um Renascimento Espiritual
IRH Press do Brasil

Esta obra traz revelações surpreendentes, que podem desafiar suas crenças. Essas mensagens foram transmitidas pelos Espíritos Superiores ao mestre Okawa, para que ele ajude você a compreender a verdade sobre o que chamamos de "realidade". Se você ainda não está convencido de que há muito mais coisas do que aquilo que podemos ver, ouvir, tocar e experimentar; se você ainda não está certo de que os Espíritos Superiores, os Anjos de Guarda e os alienígenas de outros planetas existem aqui na Terra, então leia este livro.

Ame, Nutra e Perdoe
Um Guia Capaz de Iluminar Sua Vida
IRH Press do Brasil

O autor traz uma filosofia de vida na qual revela os segredos para o crescimento espiritual através dos estágios do amor. Cada estágio representa um nível de elevação no desenvolvimento espiritual. O objetivo do aprimoramento da alma humana na Terra é progredir por esses estágios e desenvolver uma nova visão do maior poder espiritual concedido aos seres humanos: o amor. O livro ensina aspectos como a Independência e a Responsabilidade, que podem transformar a vida das pessoas.

Outros Livros de Ryuho Okawa

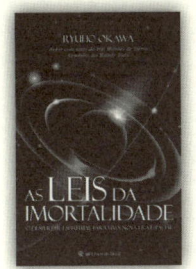

As Leis da Imortalidade
O Despertar Espiritual para uma Nova Era Espacial
IRH Press do Brasil

Milagres estão ocorrendo o tempo todo à nossa volta. Aqui, o mestre Okawa revela as verdades sobre os fenômenos espirituais e ensina que as leis espirituais eternas realmente existem, e como elas moldam o nosso planeta e os outros além deste. Milagres e ocorrências espirituais dependem não só do Mundo Celestial, mas sobretudo de cada um de nós e do poder contido em nosso interior – o poder da fé.

A Essência de Buda
O Caminho da Iluminação e da Espiritualidade Superior
IRH Press do Brasil

Este guia espiritual mostra como viver a vida com um verdadeiro significado e propósito. Apresenta uma visão contemporânea do caminho que vai muito além do budismo, a fim de orientar os que estão em busca da iluminação e da espiritualidade. Aqui você descobrirá que os fundamentos espiritualistas tão difundidos hoje na verdade foram ensinados por Buda Shakyamuni e fazem parte do budismo, tal como os *Oito Corretos Caminhos, as Seis Perfeições e a Lei de Causa e Efeito, o Vazio, o Carma, a Reencarnação, o Céu e o Inferno, a Prática Espiritual, a Meditação e a Iluminação*.

Estou bem!
7 passos para uma vida feliz
IRH Press do Brasil

Diferentemente dos textos de autoajuda escritos no Ocidente, este livro traz filosofias universais que irão atender às necessidades de qualquer pessoa. Um verdadeiro tesouro, repleto de reflexões que transcendem as diferenças culturais, geográficas, religiosas e raciais. É uma fonte de inspiração e transformação que dá, em linguagem simples, instruções concretas para uma vida feliz. Seguindo os passos deste livro, você poderá dizer "Estou bem!" com convicção e um sorriso amplo, onde quer que esteja e diante de qualquer circunstância que a vida lhe apresente.

As Leis Místicas
Transcendendo as Dimensões Espirituais
IRH Press do Brasil

A humanidade está entrando numa nova era de despertar espiritual graças a um grandioso plano, estabelecido há mais de 150 anos pelos espíritos superiores. Aqui são esclarecidas questões sobre espiritualidade, ocultismo, misticismo, hermetismo, possessões e fenômenos místicos, canalizações, comunicações espirituais e milagres que não foram ensinados nas escolas nem nas religiões. Você compreenderá o verdadeiro significado da vida na Terra, fortalecerá sua fé e religiosidade, despertando o poder de superar seus limites e até manifestar milagres por meio de fenômenos sobrenaturais.

As Leis do Sol
As Leis Espirituais e a História que Governam Passado, Presente e Futuro
Editora Best Seller

Neste livro poderoso, Ryuho Okawa revela a natureza transcendental da consciência e os segredos do nosso universo multidimensional, bem como o lugar que ocupamos nele. Ao compreender as leis naturais que regem o universo, e desenvolver sabedoria através da reflexão com base nos Oito Corretos Caminhos ensinados no budismo, o autor tem como acelerar nosso eterno processo de desenvolvimento e ascensão espiritual.

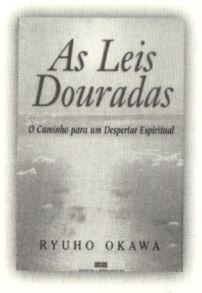

As Leis Douradas
O Caminho para um Despertar Espiritual
Editora Best Seller

Os Grandes Espíritos Guia de Luz têm sempre estado presentes na Terra em momentos cruciais, para cuidar do nosso desenvolvimento espiritual: Buda Shakyamuni, Jesus Cristo, Confúcio, Sócrates, Krishna e Maomé, entre outros. Este livro apresenta uma visão do Supremo Espírito que rege o Grupo Espiritual da Terra, El Cantare, revelando como o plano de Deus tem sido concretizado neste planeta ao longo do tempo. Depende de todos nós vencer o desafio, trabalhando juntos para ampliar a Luz.

Outros Livros de Ryuho Okawa

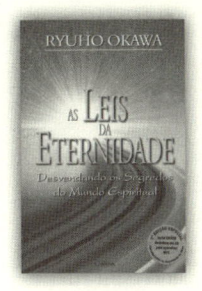

As Leis da Eternidade
A Revelação dos Segredos das Dimensões Espirituais do Universo
Editora Cultrix

Cada uma de nossas vidas é parte de uma série de vidas cuja realidade se assenta no Outro Mundo espiritual. Neste livro esclarecedor, Ryuho Okawa revela os aspectos multidimensionais do Outro Mundo, descrevendo suas dimensões, características e as leis que o governam, e explica por que é essencial compreendermos a estrutura e a história do mundo espiritual, e com isso percebermos com clareza a razão de nossa vida – como parte da preparação para a Era Dourada que está por se iniciar.

As Chaves da Felicidade
Os 10 Princípios para Manifestar a Sua Natureza Divina
Editora Cultrix

Os seres humanos estão sempre em busca da felicidade; no entanto, tornam-se cada vez mais infelizes por não conseguirem realizar seus desejos e ideais. Neste livro, o autor ensina os 10 princípios básicos da felicidade – Amor, Conhecimento, Reflexão, Mente, Iluminação, Desenvolvimento, Utopia, Salvação, Autorreflexão e Oração –, que podem servir de bússola para uma vida espiritual, permitindo que cada um de nós traga felicidade e crescimento espiritual para si mesmo e para todos à sua volta.

O Ponto de Partida da Felicidade
Um Guia Prático e Intuitivo para Descobrir o Amor, a Sabedoria e a Fé
Editora Cultrix

Como seres humanos, viemos a este mundo sem nada e sem nada o deixaremos. Entre o nascimento e a morte, a vida nos apresenta inúmeras oportunidades e desafios. Segundo o autor, podemos nos dedicar à aquisição de bens materiais ou procurar o verdadeiro caminho da felicidade – construído com o amor que dá, não com o que recebe, que acolhe a luz, não as trevas, emulando a vida das pessoas que viveram com integridade, sabedoria e coragem. Okawa nos mostra como alcançar a felicidade e ter uma vida plena de sentido.

As Leis do Futuro

Curando a Si Mesmo
A Verdadeira Relação entre Corpo e Espírito
IRH Press do Brasil

O autor revela as verdadeiras causas das doenças e os remédios para várias delas, que a medicina moderna ainda não consegue curar, oferecendo conselhos espirituais e de natureza prática. Ele mostra os segredos do funcionamento da alma e como o corpo humano está ligado ao plano espiritual.

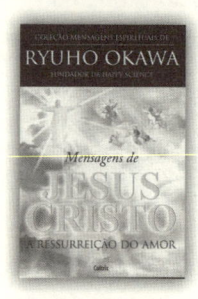

Mensagens de Jesus Cristo
A Ressurreição do Amor
Editora Cultrix

Jesus Cristo tem transmitido diversas mensagens espirituais ao mestre Okawa, que vem escrevendo muitos livros de mensagens espirituais recebidas de seres elevados como Buda, Jesus, Moisés, Confúcio etc. O objetivo das mensagens é despertar a humanidade para uma nova era de espiritualidade.

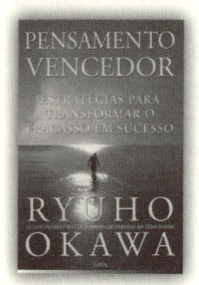

Pensamento Vencedor
Estratégia para Transformar o Fracasso em Sucesso
Editora Cultrix

O pensamento vencedor baseia-se nos ensinamentos de reflexão e progresso necessários aos que desejam superar as dificuldades da vida e obter prosperidade. Ao estudar esta filosofia e usá-la como seu próprio poder, você será capaz de declarar que não existe derrota – só o sucesso.

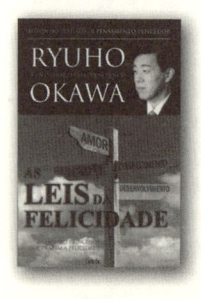

As Leis da Felicidade
Os Quatro Princípios para uma Vida Bem-Sucedida
Editora Cultrix

O autor ensina que, se as pessoas conseguem dominar os Princípios da Felicidade – Amor, Conhecimento, Reflexão e Desenvolvimento –, elas podem fazer sua vida brilhar, tanto neste mundo como no outro, pois esses princípios são os que conduzem as pessoas à verdadeira felicidade.